LE RÉVEIL
DE LA FORTERESSE

K.-H. SCHEER

LE RÉVEIL DE LA FORTERESSE

COLLECTION « ANTICIPATION »

6, rue Garancière - Paris VIe

Titre original de cet ouvrage :
Okolar-Trabant
de K.-H. SCHEER et H. G. FRANCIS

Traduit et adapté de l'allemand
par Marie-Jo DUBOURG

ISBN 2-265-03540-8

CHAPITRE PREMIER

Quand je levai la tête, mon regard tomba sur la gueule d'un fusil. Au-dessus on apercevait le visage barbu d'un homme prêt à tout.

Je ramais avec les deux bras pour me tenir au-dessus de l'eau. La houle menaçait de me jeter contre le bordage du bateau de pêche.

— Depuis quand traite-t-on des naufragés de cette manière ? demanda, avec un râle, Annibal Othello Xerxes Utan, le major MA-23 du Contre-Espionnage Scientifique Secret, en s'efforçant de traduire en sons compréhensibles ses connaissances, qui n'étaient guère époustouflantes, de la langue danoise.

Il toussa pour cracher l'eau salée qu'il avait dans la gorge.

— Laissez-nous monter à bord, mon vieux. Ne voyez-vous pas que nous nous noyons ?

L'air mauvais du Danois ne changea pas. Il avait peur de nous bien qu'il fût en meilleure position.

Je pouvais le comprendre. N'importe lequel de ses contemporains se serait comporté de même. Quelques minutes plus tôt, je m'étais posé en catastrophe et du Fokker biplace il n'était rien resté qui eût permis de le qualifier encore d'avion.

Nous nous étions emparés de l'appareil sur le front oriental, huit heures plus tôt. Il avait été notre seule chance de sortir de l'enfer des combats car Kenonewe ne pouvait pas encore venir nous chercher avec l'avion convertible. En tout cas je ne comprenais toujours pas comment j'étais parvenu à décoller. En temps normal, l'appareil aurait déjà été à sa charge maximale avec le nabot à bord en plus de moi. Mais avec nous se trouvait aussi Framus G. Allison qui pesait plus de cent kilos. Et en outre il y avait l'Atlante Takalor, un homme vigoureux et de grande taille. A grand peine, nous étions parvenus à nous serrer sur les sièges. Plusieurs fois au cours du vol, Annibal avait envisagé de s'allonger sur l'une des ailes inférieures. Mais il y avait renoncé et, en échange, il avait laissé libre cours à ses jurons. Je croyais toujours les entendre sonner à mes oreilles. Sa langue n'avait pratiquement jamais cessé de s'agiter.

Takalor, par contre, n'avait soufflé mot.

Je m'étais demandé comment un tel homme s'était senti dans le petit appareil. Il avait dû se faire l'effet de quelqu'un en expédition dans un passé ténébreux et non dans un futur lointain. Une fois seulement il avait crié. Et au même moment, Annibal s'était tu. Nous avions été contraints de faire escale à proximité de Rostock. Les réservoirs étaient vides. A mon avis, c'était un miracle que j'aie pu poser l'appareil, sans dégâts, sur le petit aérodrome. Par une opération surprise, nous étions parvenus à mettre la main sur du carburant, à remplir les réservoirs du Fokker et à redécoller sans qu'un seul coup de feu ait été tiré.

Mais maintenant le vol était définitivement terminé. Nous étions dans l'eau, devant la côte danoise, et tentions de monter à bord d'un chalutier.

Il paraissait impossible d'épargner le capitaine et son marin. Et pourtant nous le devions.

Les réservoirs avaient été totalement vides. Nous avions calculé que nous pourrions arriver jusqu'à proximité de Copenhague. Là-bas nous aurions eu une autre occasion de faire le plein de carburant. Mais nous nous étions trompés. Nous n'avions pas atteint Copenhague. Le vent de face avait été trop fort. Quand je l'avais réalisé, j'avais mis le cap sur le Belt où j'avais repéré le bateau de pêche. Je n'avais pas eu d'autre solution que de me poser en catastrophe.

— Comment se fait-il que les pêcheurs danois aient des fusils ? demanda Annibal. Est-ce que nous ressemblerions à des soldats allemands ?

Il roula les yeux, respira avec difficulté et coula. Il s'écoula près de trente secondes avant qu'il ne revienne à la surface en râlant de façon théâtrale et en frappant autour de lui, comme pris de panique. Je le saisis par la nuque et le maintins au-dessus de l'eau.

Notre comédie impressionna le pêcheur. Son fusil s'abaissa. Le barbu fit un signe à son compagnon et celui-ci posa la gaffe pointue avec laquelle il nous avait menacés. Il nous fit signe de monter à bord mais ne nous aida pas. Je me hissai sur le bordage et me laissai tomber par-dessus le bastingage. Le nabot fut amené à bord par la vague suivante. Je tendis la main à Allison et l'aidai à sortir de l'eau. Takalor refusa toute assistance. Sans peine, il sortit vivement de l'eau froide.

Je me tournai vers le Danois. Il n'avait rien à craindre de nous. Même si nous avions prévu de l'attaquer à l'improviste, la menace n'aurait pas été particulièrement grande pour lui. La température de la Baltique était à peine supérieure à 6° Celsius. Nos membres étaient presque engourdis et nous gelions lamentablement.

J'étais content que nous ayons jeté les vestes d'uniforme volées, aussitôt après l'atterrissage. Elles auraient pu nous compromettre. Maintenant nous ne portions plus que les pantalons d'uniforme russes par-dessus la combinaison vert tilleul du C.E.S.S. Je le retirai également et le lançai par-dessus bord malgré ma répulsion à jeter à l'eau quelque chose susceptible de la polluer. Pour le pêcheur danois, les questions de protection de l'environnement n'existaient pas encore. Pour lui il était naturel de jeter à l'eau tout ce dont on n'avait plus besoin. Il nous tendit des couvertures chaudes.

Je sondai ses pensées.

Il nous prenait pour des déserteurs russes. A vrai dire, nos combinaisons vert tilleul l'étonnaient. Elles étaient fabriquées dans une matière qu'il n'avait encore jamais vue. L'eau en sortait, laissant le tissu pratiquement sec. Nous n'avions pas besoin de nous changer et pour le pêcheur cela équivalait à un miracle.

Il était extrêmement méfiant à l'égard de l'Atlante. Il n'avait encore jamais vu d'homme comme lui. Takalor ressemblait à l'idée qu'il se faisait d'un prince hindou, un homme de famille, noble et de haut rang. Il se sentait inférieur à lui et c'était une raison suffisante pour adopter une attitude de rejet à son égard.

Mais le fusil était pointé sur moi et le visage du pêcheur ne s'était nullement détendu. Son regard se posa sur mon ceinturon. Il pouvait parfaitement y apercevoir mon projecteur d'écran individuel. Il est vrai que cet appareil ne lui disait absolument rien. Il le prenait pour un bijou exotique. D'ailleurs ses pensées n'étaient pas particulièrement flatteuses pour moi. Il trouvait que j'avais l'air trop efféminé et tiré à quatre épingles. Et surtout l'arme que je portais renforçait ce jugement.

Grand Dieu, il prenait également pour un bijou le combiradiant martien avec lequel j'aurais pu, sans peine, réduire en cendres son bateau et encore vingt autres de la sorte !

Annibal ricana avec insolence.

— *Tu le vois encore une fois, la Perche,* me dit-il sur le mode télépathique. *Tu ne fais pas de l'effet sur tous les gens. Cette âme simple, par exemple, doute de ta virilité.*

— *Je suis très profondément vexé,* répliquai-je.

Le nabot répondit à cette remarque ironique par un gloussement stupide.

Le pêcheur donna des instructions à son compagnon. Nous étions à une dizaine de kilomètres de la côte. Au nord se trouvait l'îlot minuscule de Sprogö. A l'ouest était

Nyborg. Les mâts grincèrent et la voile se gonfla quand le canot mit le cap à l'ouest. Cela n'était absolument pas dans notre intérêt. Nous ne voulions pas être conduits à Nyborg, ni dans un quelconque autre port. Nous attendions Kenonewe.

— Que faisons-nous avec le vieux? demanda Framus Allison en haletant. Nous devons lui dire de nous débarquer sur l'île.

— Nous n'avons pas d'autre solution, répondis-je.

Les regards du pêcheur allaient de l'un à l'autre. Il sentait que nous n'étions pas satisfaits de sa décision et il se sentait menacé. Il regrettait déjà de nous avoir sauvés. Mais il n'avait pas eu d'autre solution. Même en temps de guerre comme en l'an 1916, tout marin considérait l'assistance en mer comme étant son devoir.

Je montrai Sprogö.

— Là-bas, dis-je. Me comprenez-vous?

Il hocha la tête et garda le silence. En tant que télépathe je n'avais aucune difficulté à saisir ses pensées. Il n'envisageait absolument pas de se laisser embarquer dans une affaire quelconque. Il voulait se rendre à Nyborg et nous remettre là-bas entre les mains de la police.

— O.K., dis-je à Annibal. Laissons-le tranquille. Entre-temps, essaie de joindre Kiny.

Il inclina la tête et s'assit sur une caisse à

poissons. Les embruns le fouettaient mais il ne les sentait pas. Ses yeux perdirent toute expression. Je posai un pied sur la caisse, à côté de lui, et je le soutins pour qu'il ne bascule pas. Le canot dansait tellement que je croyais, de temps à autre, qu'il allait chavirer. Mais le pêcheur connaissait son métier. Avec habileté, il conduisait le bateau parmi les vagues, tout en gardant le fusil pointé sur moi. Son compagnon tendit une bouteille de rhum au nabot. Surpris, il la remit dans sa poche en voyant qu'Annibal ne réagissait pas.

Je savais qu'en cet instant le nabot avait pris contact avec Kiny Edwards qui nous attendait dans le déformateur temporel, dans la région de Kristiansand, au sud de la Norvège. Le professeur Goldstein était occupé à remettre l'appareil en état de marche.

Annibal respira profondément. Ses yeux se réanimèrent. Il me regarda.

— J'espérais que Golstein pourrait venir ici avec le cube, dit-il. Mais rien à faire. La chose ne fonctionne toujours pas comme le voudrait le professeur.

— Et le convertible ?

— Il a déjà appareillé. Kenonewe l'a réparé.

Je poussai involontairement un soupir de soulagement. Aucun de nous ne s'était attendu à ce que cet appareil aussi tombât en panne. C'était arrivé cependant. C'était un avion convertible archaïque à deux rotors à rotation contraire. Il disposait d'un propulseur chimique nucléaire si primitif que mon choix s'était porté sur cet appareil. Un convertible moderne ne nous aurait pas convenu car il aurait été trop facilement détectable par les Martiens. Mais en l'an 1916, où nous nous trouvions actuellement, cela ne jouait aucun rôle. Nous aurions pu recourir aux meilleurs appareils martiens. Mais 1916 n'avait pas été notre objectif. Nous avions mis le cap sur une époque située à 187 000 ans dans le passé. A cette époque, les Martiens étaient engagés dans un combat acharné contre les Denébiens. Et ils disposaient d'une technique de détection dont les performances et la perfection étaient précisément effrayantes. L'affronter avec un glisseur moderne eût été risqué.

Quand je me tournai vers le vieux, je remarquai qu'il était encore plus attentif que précédemment. Il sentait instinctivement qu'une décision contraire à ses intérêts avait été prise. Son doigt s'appuya avec plus de fermeté sur la détente du fusil. Il se demandait sérieusement s'il ne devait pas nous abattre et nous jeter par-dessus bord.

Je lui adressai un sourire apaisant. Mais cela ne fit qu'accroître sa méfiance et sa peur.

— *Takk skal de ha,* lui dis-je tout en saisissant mon radiant.

Il cligna des yeux. Il croyait encore que cet appareil était un bijou extravagant et il supposait que je voulais le lui offrir. Même quand je pointai l'arme sur lui, il ne se sentit pas encore menacé. Je réglai mon arme pour un effet paralysant et j'appuyai sur la détente.

Le champ de choc saisit le pêcheur et l'abattit. En vain, l'homme tenta encore de tirer.

Je me tournai vers son compagnon qui me regardait, les yeux écarquillés par l'épouvante. En cet instant il devait deviner que les choses étaient bien différentes de ce que le capitaine et lui avaient pensé jusqu'alors.

— Non, ne me tuez pas, supplia-t-il en bégayant. Je vous en prie.

Il se prépara à sauter par-dessus bord. Je ne pouvais permettre cela. Je devais le paralyser sans pouvoir lui apporter le réconfort de la vérité, à savoir que cela ne signifiait pas sa mort. Je pressai la détente.

Il s'effondra contre le bastingage. Le haut de son corps bascula par-dessus bord. Framus Allison se déplaça avec une rapidité surprenante. Il bondit vers le jeune homme, le saisit par le col et le tira en arrière sur le bordage. Il le coucha sur le dos et plongea son regard dans les yeux grands ouverts. Le jeune homme était seulement incapable de bouger mais n'était pas inconscient. Ses sens de la perception fonctionnaient encore pleinement. Il pouvait donc voir le visage parsemé de taches de rousseur de l'Australien. Allison lui adressa un sourire apaisant avant de lui fermer les yeux. C'était absolument nécessaire pour que le matelot ne subisse pas de graves lésions aux yeux.

— Ils arrivent, dit Takalor calmement.

Je me tournai vers le nord. Le convertible se voyait nettement. Il volait à une cinquantaine de mètres d'altitude seulement et descendait encore. Le major Kenonewe avait déjà sorti les couronnes de rotors. L'appareil s'approcha avec une vitesse d'à peine cinquante kilomètres à l'heure. L'eau s'aplanit sous le souffle des rotors. La cabine en forme de goutte d'eau se rapprocha vivement. Je regardai les voiles du canot qui dansait violemment sur les vagues. Comme le pêcheur ne pouvait plus s'occuper de lui, il avait échappé à tout contrôle. Il fallait craindre qu'il ne chavire si l'avion-hélico demeurait juste au-dessus de la coque. Nous ne pouvions pas courir ce risque.

Allison me comprit sans grands discours. En quelques gestes il détacha les écoutes et je l'aidai à amener la voile. Ensuite le bateau roula, certes encore plus, mais il n'y avait plus de risque qu'il coule.

Le major Kenonewe amena son appareil encore plus près et resta ensuite à dix mètres au-dessus de nous. Une nacelle de sauvetage descendit, et quelques minutes plus tard, nous étions tous à bord de l'appareil.

Inquiet, je regardai en bas. Les deux Danois étaient couchés de tout leur long sur le pont. A chaque mouvement du bateau ils roulaient de-ci, de-là.

— Aucun danger, dit le nabot en bâillant. Dans deux heures au plus tard, ils auront récupéré. D'ici là d'autres bateaux seront déjà sur les lieux. On va s'occuper d'eux.

Il montra en direction de Nyborg. Deux bateaux de pêche venaient déjà de là-bas. On avait eu l'attention attirée par nous et l'on voulait maintenant savoir ce qui se passait ici. Je fus rassuré.

Je fis un signe à Kenonewe. Le major fit monter l'appareil et accéléra. La peau sombre de l'Africain portait encore les cicatrices rituelles qui caractérisaient les Phoros des temps préhistoriques, un peuple auxiliaire des Atlantes. Kenonewe avait pour tâche, à l'époque martienne qui était notre objectif véritable, de jouer le rôle d'un Phorosien.

Je remarquai que Takalor avait percé à jour cette mascarade depuis longtemps. Il ne pouvait pas non plus s'attendre à rencontrer un véritable Phoros dans notre entourage immédiat. Mais sa réaction me prouva que le masque de Kenonewe était extrêmement réaliste et convaincant. Je fus satisfait de voir l'Atlante déconcerté.

— Rien ne marche comme nous le voudrions, dit Kenonewe. Je suis désolé de n'avoir pu venir vous chercher plus tôt, une ailette de turbine était cassée et a dû être collée. Il nous a fallu attendre que ça sèche.

— C'est bon, répondit Annibal à ma place. Nous avons eu un vol agréable. Seul l'atterrissage n'a pas été tout à fait à notre goût.

Nous foncions vers le nord-ouest à deux fois la vitesse du son, à 10000 mètres d'altitude. L'Africain avait rentré les pales des rotors et était passé sur le puissant statoréacteur qui fonctionnait maintenant parfaitement.

— Où en est Goldstein ? demandai-je.

Je renonçai volontairement à sonder le contenu mental de Kenonewe par télépathie. L'effort nerveux de l'équipage du déformateur temporel était déjà assez grand. Je ne voulais pas l'accroître encore en sachant des choses qui n'avaient pas encore été *dites*. J'avais remarqué assez souvent que l'on développait à l'égard de nous, les télépathes, une méfiance accrue et que l'on faisait soigneusement attention à ce que nous *savions*.

Si nous disposions d'informations que l'on ne croyait pas encore nous avoir données, automatiquement un rejet instinctif s'installait. On s'écartait craintivement de nous comme si la distance suffisait à faire la différence. Or pour nous, télépathes, l'éloignement ne jouait pratiquement aucun rôle. Mais depuis, le nabot et moi nous nous étions habitués à faire attention à cela. Nous posions alors des questions directes quand il eût été beaucoup plus commode d'obtenir l'information par voie télépathique.

— J'ai l'impression que le professeur Gold stein n'a pas progressé d'un seul pas, répondit Kenonewe, évasif.

Surpris, je le regardai.

— L'impression ? demandai-je, déconcerté.

— L'ambiance à bord est quelque peu critique, général, répondit l'Africain, réticent.

Il se tourna vers moi et je pus déjà imaginer ce qu'il voulait dire.

Dans le déformateur temporel, ils étaient encore huit personnes actuellement, en plus du professeur Goldstein. La télépathe Kiny Edwards était calme et équilibrée. De sa part il ne fallait s'attendre à aucune réaction de panique. Normalement, l'électronicien et logicien de programmation japonais, le docteur Kenji Nishimura, et le docteur Samy

Kulot, diagnostiqueur psi, restaient calmes et maîtres d'eux-mêmes. Mais la situation n'était pas normale. Nous étions naufragés dans le temps et par notre présence en l'an 1916, nous mettions en péril le futur d'où nous venions.

Toutes nos actions pouvaient conduire à un paradoxe temporel. Nous savions trop peu de choses sur les détails historiques et leur signification. C'est ainsi que le vol de l'avion avec lequel nous étions venus jusqu'ici pouvait déjà avoir tourné à la catastrophe si cet appareil jouait un rôle historiquement important dans les semaines ou mois à venir.

Aucun de nous n'avait pu se préparer à l'année 1916.

Sous le poids de la responsabilité qui reposait sur lui, le professeur Goldstein était manifestement devenu silencieux. Il avait renoncé à informer les autres membres de l'équipage de l'état des choses. La seule explication c'était que pratiquement rien n'avait changé.

— Ainsi donc il n'y a pas de progrès, constatai-je objectivement.

Kenonewe inclina la tête. Il était aussi de cet avis.

La côte norvégienne surgit devant nous. L'appareil décéléra fortement. L'Africain le fit descendre et sortit les couronnes de rotors. Peu après je perçus le crépitement des pales qui tournaient au-dessus de nos têtes.

Nous ne pouvions empêcher que la population de Kristiansand et des environs ne nous voie. Là-bas on se livrait très certainement à des réflexions militaires. Peut-être croyait-on avoir affaire à une nouvelle arme allemande. Nous ne pouvions nous laisser arrêter par aucune considération. Les Norvégiens viendraient à bout de ce problème. Ainsi que de celui de l'appareillage du déformateur temporel au cas où il pourrait reprendre l'air.

Mais à ce sujet il semblait subsister des doutes importants.

L'appareil entra dans la vallée où se dressait le cube martien, en métal M.A. bleuté.

CHAPITRE II

Le professeur Goldstein paraissait las et épuisé. Il n'avait plus guère d'espoir. Nishimura offrait lui aussi l'image d'un homme déçu. Le visage espiègle de Samy Kulot montrait un sourire figé qui n'avait rien à voir avec la gaieté qui caractérisait habituellement cet homme. Seul le sourire de Kiny Edwards paraissait vrai et non affecté, bien qu'elle saisît la précarité de la situation dans toute son ampleur. Elle avait une confiance presque inquiétante en moi.

Takalor se dirigea vers les éléments de commande que Goldstein avait démontés et remontés. Il hocha la tête tout en laissant percer une certaine estime pour le professeur.

— Vous ne progresserez pas ainsi, déclara-t-il. C'est le ghueyth, le cristal oscillant en 5-D, qui est en cause. Il est brisé.

L'Atlante se pencha sur le transformateur des niveaux parallèles en panne et ouvrit le circuit transversal d'une rotation habile de la main. Surpris, Goldstein haussa les sourcils. Il avait considéré ce circuit comme scellé, car malgré tous ses efforts il n'était pas parvenu à ôter le panneau de protection.

— C'est bien ce que je craignais, dit Takalor.

Golstein et Nishimura se levèrent. Tout comme Annibal, Allison et moi, ils se dirigèrent vers l'Atlante et regardèrent les éléments dénudés du transformateur temporel que Takalor montrait.

— Les quartz oscillants à l'intérieur de tous les équipements qui fonctionnent sur une base quintidimensionnelle sont brisés ou se désintègrent encore.

— Ce processus ne peut-il être stoppé ? demanda Golstein.

Takalor hocha la tête. Il utilisait toujours l'appareil martien de traduction quand il s'entretenait avec nous. Le traducteur pendait à un cordon sur sa poitrine.

— Croyez-moi, si cela était possible, je l'aurais fait depuis longtemps. J'ai tout autant que vous intérêt à ce que le déformateur temporel fonctionne. C'est comme dans l'appareil qui m'a amené à cette époque-ci. Là aussi les ghueyths se sont désagrégés. A vrai dire les quartz se sont fragmentés beaucoup plus vite qu'ici, parce qu'il y a des différences de construction essentielles entre les deux déformateurs temporels.

Goldstein se retira pensivement. Peu après il s'entretint à voix basse avec Samy Kulot. Framus Allison les observa quelques secondes puis se dirigea vers eux.

Goldstein posa quelques questions à l'Atlante, qui dépassaient de beaucoup mes connaissances techniques. Ensuite il me regarda d'un air découragé.

— Cela ne pouvait guère être pire, expliqua-t-il. Je suis maintenant convaincu que l'année 1916 occupe une position tout à fait particulière dans les inépuisables interférences énergétiques du temps. Ici, dans la constante de transformation omniprésente des possibilités d'existence, il doit exister une intersection hyperénergétique entre les différentes forces. Je suppose que ce point se déplace d'une façon continue avec le temps qui passe en réalité. Tout voyage temporel dans des époques très reculées passe obligatoirement, au retour, devant ce croisement. Par suite du tourbillon de compensation qui règne là-bas, des éléments importants du transformateur, les quartz oscillants en 5-D, sont tellement sollicités qu'ils perdent leur faculté de modulation et deviennent inutilisables. Or, sans les ghueyths, l'appareil ne peut pas fonctionner.

J'avais la tête pleine à éclater. C'était là

toute une série de concepts dont je ne m'étais jusqu'à présent occupé que superficiellement. Je réfléchis à ce qu'avait dit le professeur et commençai à deviner qu'il avait saisi la vérité dans toute sa logique. Il attendit que j'aie tout assimilé, au moins approximativement.

— Tafkar, le chef atlante du groupe d'auxiliaires martiens, a rencontré les mêmes difficultés. Il doit pourtant avoir trouvé une solution pour arracher son déformateur temporel à l'année 1916, après la disparition des neuf membres d'équipage dont Takalor. Il a aussitôt saisi sa chance, sans aucune considération pour eux. Il est parvenu à conduire le transformateur temporel encore plus avant dans le futur, comme nous le savons.

Je comprenais maintenant que j'avais pris la bonne décision. J'avais rencontré Tafkar et je l'avais laissé retourner à son époque. Dans le fleuve du temps, il était retombé de 187 000 ans dans le passé. Cela avait dû être ainsi car il avait eu pour tâche de déterminer si l'arme à retardement martienne contre les Denébiens avait fonctionné ou non.

Si j'avais retenu ou tué Tafkar, une deuxième ou une troisième expédition aurait sans aucun doute surgi à notre époque, en l'an 2011. Et nous ne l'aurions peut-être pas remarquée. Elle aurait pu mener à bien le désastre qui avait été imaginé 187000 ans plus tôt, vers la fin de la guerre entre Mars et Deneb.

— Ce n'est pas la première fois que nous utilisons le transmetteur temporel, objecta Annibal dubitatif. Lors de nos précédents raids dans le passé, il ne s'est rien passé. L'année 1916 nous a parfaitement laissés tranquilles.

— Ces voyages nous conduisirent tout au plus à l'époque napoléonienne, répliqua Goldstein. C'était heureusement trop court et les difficultés avec les ghueyths ne pouvaient pas encore se produire. J'ai explicitement fait remarquer que la désagrégation ne se produit que lorsque le saut temporel conduit dans un passé *très lointain*. Environ 180000 ans.

— Entre 180000 et 200 ans il y a une petite différence, dit le nabot. Je le reconnais.

Je me tournai vers Takalor. Je le croyais. L'idée qu'il ait pu consciemment nous donner un faux renseignement ne me vint pas. Pourquoi l'aurait-il fait ?

— Ce que Tafkar a réussi à faire, nous devons nous aussi le réaliser, fis-je remarquer.

Il eut un tressaillement au coin des yeux. Embarrassé, il s'éclaircit la voix.

— Tafkar est un scientifique extrêmement

capable et spécialement entraîné par les Martiens. Il existe une certaine différence entre lui et moi, répondit-il d'une voix hésitante.

Mes paroles lui étaient visiblement désagréables. Il savait qu'il ne pouvait accomplir autant de choses que Tafkar bien qu'il fût lui aussi un scientifique hautement qualifié.

— Il doit pourtant y avoir un moyen de chauffer encore une fois les quartz, dit Samy Kulot.

— Hélas pas pour moi, répondit l'Atlante gêné. N'oubliez pas que Tafkar disposait d'un tout autre modèle que vous, il est vraisemblable qu'il avait à bord des appareils prévus pour un tel cas d'urgence. Peut-être avait-il un certain ghueyth de remplacement qui lui permit au moins de parcourir quelques années de plus. Je ne suis pas au courant.

— Alors il n'y a qu'une solution, dis-je. Nous devons appareiller avec le déformateur et gagner la Lune.

— Ce n'est pas si simple, objecta l'Atlante.

— Pourquoi pas ? demanda Annibal.

— Le propulseur comporte également des quartz. Vous devez donc vous attendre à ce que les antigravs ne fonctionnent pas parfaitement. Cela signifie que le cube devra appareiller avec une forte accélération pour quitter le champ de gravité de la Terre. Il se produira alors des forces de pesanteur auxquelles nous ne pourrons résister. De plus il faut d'abord voir si le propulseur normal est d'ailleurs parfaitement en état de fonctionner.

— Ne vous inquiétez pas pour ça, répondit Goldstein avec un sourire dissimulé. (La peur de l'Atlante devant les forces d'accélération l'amusait.) Si j'arrive à contrôler parfaitement le propulseur, je conduirai le cube sur la Lune. Et nous supporterons les forces de pesanteur comme celles qui interviendront ici. N'oubliez pas que notre technique spatiale n'a pas fait ses débuts avec des antigravs et que l'équipage de nos premiers astronefs devait surmonter tous les problèmes de gravité dans leur intégralité.

Le visage de l'Atlante changea de couleur. Je ne pus que m'étonner. J'avais appris à le connaître comme un homme extrêmement courageux et intrépide. Craignait-il d'être plaqué dans son fauteuil lors de l'appareillage du cube ?

— *N'oublie pas qu'une telle chose ne cadre pas avec son monde d'imagination,* me signala le nabot. *Par ailleurs il y a eu, en tous temps, des héros qui ne craignaient pas d'affronter, à mains nues, une puissance supérieure, mais s'évanouissaient quand il leur fallait subir une piqûre.*

Je devais lui donner raison.

Pour un homme comme Takalor, élevé dans un monde à la technologie perfectionnée, l'appareillage d'un astronef soumis à tous les effets de l'accélération était bien sûr une chose qu'il ne pouvait concevoir. S'il s'était déjà trouvé à bord d'un astronef, il n'avait alors jamais ressenti le moindre effort d'accélération. Les antigravs, toujours fiables, veillaient à ce que l'équipage ne soit soumis à aucune gravité.

— Mais ne croyez pas que nos problèmes seront solutionnés une fois que nous aurons atteint la Lune, dis-je aussi calmement que possible. Quand nous serons là-bas, la question se posera de savoir comment approcher des quartz oscillants sans être auparavant anéantis par Zonta.

— Vous avez le codateur, objecta Samy Kulot.

— Bien sûr, mais n'oubliez pas que Zonta ne me connaît pas encore. J'arriverai sur la Lune bien avant que Zonta n'ait reconnu HC-9.

De nouveau, l'Atlante réagit d'une manière qui ne me plut pas. Jusqu'alors il ignorait jusqu'à quel point nous contrôlions les installations de la Lune et de Mars. Nous l'avions rencontré ici sur la Terre où il avait échoué avec un astronef. Il fronça les sourcils et me regarda d'un air réprobateur.

— J'ai déclaré que je me procurerais les ghueyths, dit-il avec dédain.

Je souris.

— Je suis absolument certain que cela vous sera plus facile qu'à moi. Zonta n'est vraiment pas facile à convaincre comme vous pouvez vraisemblablement l'imaginer.

— Le cerveau-robot est pour moi quelque chose de familier, répondit-il. N'oubliez pas que je viens d'une époque où il était tout naturel de vivre avec le Cerveau.

Il mentait. Il savait que Zonta poserait des difficultés car c'était sur la Lune qu'il s'était procuré l'astronef qui l'avait amené sur la Terre. Nous ignorions quelles résistances il lui avait fallu vaincre pour cela. Peut-être les choses s'étaient-elles effectivement passées sans l'intervention du cerveau géant mais cela me paraissait invraisemblable. Pendant quelques secondes je fus tenté de briser son blocage psi mais j'y renonçai, car je ne voulais pas me faire un ennemi de Takalor.

— Cela vous aurait-il échappé que les Martiens ont effectivement perdu la guerre ? demanda le nabot ironiquement. *Cela* a légèrement modifié la situation, mon ami.

Takalor fit volte-face. Ses joues se colorèrent et ses yeux étincelèrent de colère.

— Je ne suis pas votre ami, dit-il violemment. Du moins pas au sens où vous l'entendez.

— Je vous crois, sans façon, répliqua le nabot d'un ton caustique. Vous êtes plutôt un boomerang pour nous.

Takalor se mit les deux mains sur les hanches. Agressif, il regarda le nain de haut.

— Qu'est-ce que c'est, un boomerang ? demanda-t-il lentement et avec méfiance.

— Un boomerang ?

Annibal parut irrité, mais seulement un bref instant car ensuite il étira les lèvres en un large sourire qui lui fendit le visage presque jusqu'aux oreilles.

— Eh bien, un boomerang, oui, qu'est-ce donc ? Hé ! la Perche, peux-tu m'aider ?

Je hochai la tête.

— Eh bien, un boomerang c'est..., reprit Annibal en se grattant violemment la nuque. Comment expliquer cela ? Eh bien, en tout cas si on le jette et qu'il ne revient pas, c'est que ce n'en était pas un. Compris ?

Tandis que Framus Allison riait sans la moindre gêne, je me plongeai dans les schémas de montage des commandes établis par le professeur Goldstein. Takalor se rendit compte que le nabot voulait se payer sa tête. Il sourit d'un air tracassé et fit celui qui ne sentait pas le sol se dérober sous ses pieds.

Il s'adressa à moi :

— Me faut-il écouter ces sottises, général ?

— Absolument pas, Takalor, répondis-je.

J'ignorais pourtant que les Atlantes étaient des hommes dépourvus de tout humour.

Sa mine s'assombrit. Ma constatation l'avait affecté. Mais ce qui le blessait encore plus, c'était que j'avais parlé de son peuple au passé. Pour lui, les Atlantes existaient encore. De son point de vue, il y avait encore un présent dans lequel son peuple jouait un rôle non négligent.

Il me regarda et pour la première fois je découvris dans ses yeux quelque chose qui me mit en garde. Je sentis que j'étais allé un peu trop loin.

— Je suis désolé, Takalor, dis-je aussi calmement que possible. N'oubliez pas, s'il vous plaît, qu'à cette époque-ci le peuple des Atlantes n'existe plus. L'Atlantide a sombré.

Il lui fallut quelque temps pour prendre son parti de la vérité. Pendant ces secondes sans fin, nous nous regardâmes et je pus voir le changement s'opérer en lui, même si ses pensées me restaient fermées. Il est difficile pour un homme de se familiariser avec l'idée que son peuple n'a pas d'avenir et il n'est que naturel qu'il échafaude aussitôt des plans pour sauver cet avenir précisément.

— Ça ne marche pas, Takalor, dis-je doucement.

— Qu'est-ce qui ne marche pas, général ?

Sa question fut comme un cri bien qu'il n'ait pas haussé la voix.

— Vous ne pouvez retourner dans votre présent et manœuvrer les aiguillages de manière à préserver l'existence des Atlantes jusqu'à cette époque-ci.

Mes paroles passèrent à côté de lui. Elles ne l'atteignirent pas. Je sentis le danger naissant. Jusqu'alors j'avais considéré Takalor comme un homme dont le seul but était de contrôler la bombe à retardement sur la Lune et à tuer des Denébiens partout où il en rencontrait. Maintenant je comprenais que c'était un être bourré de conflits et de problèmes personnels. Il réalisait que la guerre menée dans son lointain passé avait été aussi absurde que toute guerre, et cette vérité le faisait souffrir. La lutte des Martiens contre les Denébiens n'avait apporté d'avantages ni à un côté, ni à l'autre, mais les avait seulement conduits à leur perte. Qu'avaient gagné les Denébiens en parvenant finalement à tuer les derniers Martiens ? Et quels avantages les Martiens auraient-ils obtenus si un « succès » analogue leur avait été accordé ?

Ce n'était que quelques années plus tôt, en temps réel, que nous avions découvert que 187 000 ans auparavant le peuple des Martiens avait été l'intelligence déterminante dans ce système solaire. Il avait créé des ouvrages techniques fantastiques qui, de nos jours, étaient encore en état de fonctionnement et qui avaient même survécu aux Martiens.

Mais pour nous le peuple des Atlantes ne vivait plus que dans les anciens rapports. Tout au plus nous, au C.E.S.S., savions qui avaient été réellement les Atlantes. Mais c'était tout.

Un homme qui était convaincu que l'avenir était entre les mains de son peuple ne devait-il pas être touché à la racine de sa personnalité en comprenant à quel point il s'était trompé ?

Je décidai de ne plus laisser désormais Takalor faire un seul pas sans surveillance.

— *Et tu feras bien,* approuva le nabot par voie télépathique. (Il m'avait mentalement écouté.) *Takalor peut devenir un danger. Une fois sur la Lune, il pourrait essayer de se débarrasser de nous et de suivre seul son chemin.*

— *Même avant, petit,* répondis-je de la même manière. *Qui nous garantit qu'il a bien dit la vérité ? Qui dit que les quartz oscillants sont vraiment hors d'usage ? Nous devons veiller à ce qu'il ne nous jette pas tous par-dessus bord grâce à un tour. Il pourrait vouloir appareiller seul.*

— *Il n'y parviendra jamais.*

— *La prudence est mère de sûreté.*

Takalor avait ce qu'il avait voulu avoir. Le déformateur temporel. Avec lui il pouvait aller sur la Lune et s'approcher ainsi des trésors techniques dont il avait urgemment besoin. Nous supposions depuis longtemps déjà, que la Lune recelait beaucoup plus de merveilles techniques que nous ne connaissions jusqu'alors. Il fallait supposer avec certitude qu'il y avait d'autres transmetteurs temporels sur la Lune. Si Takalor ne réussissait pas à réparer notre cube, il pourrait tenter de prendre un autre appareil.

Que savions-nous donc de sa conception de l'honneur et de la mentalité de son peuple forgée par la guerre ? Au fond il nous était aussi étranger que s'il n'était pas originaire de la Terre mais d'une planète très lointaine.

C'eût été une erreur de lui faire aveuglément confiance.

Je me détournai. Le professeur Goldstein était penché sur un banc de distribution positonique. J'eus un moment de surprise en remarquant le sourire imperceptible sur ses lèvres, mais je négligeai de pénétrer dans ses pensées.

A cet instant, l'Atlante se décida à passer à l'attaque.

Kiny Edwards poussa un cri d'avertissement. Le nabot virevolta. Son combi-radiant apparut dans sa main avec une vitesse incroyable, et je ne pris conscience de ma propre réaction que lorsque je tirai encore avant lui.

Takalor agit avec une sûreté de rêve et une vue d'ensemble inouïe qui me prouva qu'il avait prémédité cette attaque depuis longtemps. Il se tenait derrière Framus Allison et Samy Kulot. Les ondes de choc de nos armes frappèrent ces deux hommes qui servirent ainsi de rempart à l'Atlante. Mais en même temps, Takalor parvint à déclencher son radiant.

Je sentis la douloureuse contraction de mes muscles et vis Annibal trébucher sur ses propres pieds. Je fus déconcerté. Jamais je ne me serais attendu à ce que l'Atlante parvienne à prendre à la fois le nabot et moi à l'improviste. Pendant une fraction de seconde j'avais eu l'attention détournée. J'avais regardé le professeur Goldstein et je m'étais étonné de son sourire. Mon don psi de prémonition de l'action avait obtenu l'activation de mon système nerveux et de ma musculature peut-être un centième de seconde plus tard.

Mais cela avait déjà été trop tard.

Takalor avait habilement profité de l'abri qui s'offrait à lui. Pourtant, l'effet de choc de l'arme d'Annibal et de la mienne l'avait atteint. Quand je tombai par terre, je vis aussi l'Atlante vaciller. Il tomba à genoux et prit appui sur sa main libre. Un frisson de fièvre parut le secouer. Il avait les bras ballants et les yeux ouverts en grand.

Avec épouvante il regarda le professeur Goldstein qui voulait lui arracher son radiant. Mais Takalor réussit quand même à tirer.

Je tombai la face par terre et j'entendis le choc de plusieurs corps lourds. Puis une paralysie totale me saisit. Mes yeux étaient presque clos.

Je perçus un cri télépathique furieux et désespéré. Le nabot était rongé par les reproches qu'il s'adressait. Ce qui était arrivé n'aurait jamais dû se passer. Nous étions trois télépathes qui n'avions certes pas pu briser le barrage de l'Atlante, mais cependant nous n'aurions pas dû être surpris. Même un homme comme Takalor se trahit par des détails infimes. Nous aurions dû les percevoir et les analyser correctement, d'autant plus que seulement quelques secondes plus tôt nous avions envisagé un incident de ce genre.

Avec horreur je pris conscience que j'avais bien remarqué les symptômes d'une attaque imminente. Ils m'avaient conduit à un échange de vues télépathiques avec le nain et non pas à une analyse et à une réaction correctes.

Une colère impuissante monta en moi. En vain, je tentai de reprendre le contrôle de moi.

C'était voué à l'échec.

L'Atlante avait gagné. Nous étions irrémédiablement prisonniers du temps. Personne ne pouvait nous sortir d'ici sans provoquer en même temps un paradoxe temporel.

Nous étions pris au piège.

Quand je fus parvenu à cette conclusion, je me sentis saisi par les jambes et tiré. Takalor passait à l'action. Il me transporta dehors sans se soucier du fait qu'il me traînait le visage sur le sol. Il me tira à quelques mètres du déformateur temporel et me laissa étendu dans l'herbe. Je n'étais pas en mesure de bouger.

Le nabot se réjouit de mon irritation contre moi-même. Une impulsion télépathique aiguë me frappa puis un éclat de rire retentit en moi.

— *Tu as une étrange conception de l'humour,* répondis-je. *Ou en serais-tu là maintenant ? Perds-tu la tête ?*

— *Découvre-le toi-même,* me conseilla-t-il. *Tu as tout le temps pour ça.*

Je voulus lui soutirer la raison de sa gaieté mais il dressa énergiquement un barrage mental devant moi.

Je me concentrai sur les autres. Kiny ne savait rien. Elle était maintenant couchée à côté de moi. Elle avait seulement peur. Je l'apaisai.

Framus Allison bouillait de rage. Il imaginait ce qu'il ferait avec l'Atlante une fois qu'il aurait surmonté la paralysie. Hélas ses désirs ne se réaliseraient pas car à ce moment-là Takalor serait déjà sur la Lune et donc à une distance inaccessible. Les choses étaient identiques pour Samy Kulot et Nishimura. Eux aussi souffraient de la situation et s'adressaient des reproches parce qu'ils n'étaient pas parvenus à vaincre l'Atlante à demi paralysé, à la dernière seconde.

Il en était autrement du professeur Gold stein.

Il était parfaitement calme.

— *Je vous sens!* pensa-t-il quand je le sondai télépathiquement. *Il ne peut rien nous arriver, Thor. Le cube ne peut appareiller.*

Maintenant je comprenais pourquoi Annibal avait ri. Goldstein avait été plus malin et plus prévoyant que nous. Il n'avait pas eu une confiance aveugle dans l'Atlante et il avait tenu compte qu'il pouvait nous duper. Il avait retiré un commutateur-tiroir positonique de la propulsion. Or sans cet appareil, Takalor ne pouvait mettre en marche ni le propulseur à antigrav, ni le statoréacteur. Le cube ne se soulèverait pas d'un centimètre du sol. Et Takalor aurait beau s'escrimer, rien n'y ferait.

Goldstein avait caché le commutateur entre les rochers, à quelque distance de là. L'Atlante ne le trouverait jamais.

Je sentis la tension reculer en moi. Maintenant je pouvais vraiment attendre en toute tranquillité. Takalor ne pouvait rien faire. Il devait nous sortir de notre état de paralysie et nous emmener avec lui.

J'avais beau avoir toutes les raisons d'être satisfait du déroulement des choses, je ne l'étais pas. Takalor nous avait trompés. Il nous avait montré nettement que nous ne pouvions pas lui faire confiance. Il ne s'intéressait absolument pas à ce qui pouvait nous arriver, à nous et à notre présent. Un paradoxe temporel éventuel n'aurait aucune influence sur la bombe à retardement martienne, sur la Lune.

Désormais, toute collaboration m'apparaissait exclue.

J'entendis le sas du cube se refermer. Soudain la tension fut de nouveau là. Nul n'était aussi familiarisé que Takalor avec la technique martienne. Peut-être y avait-il quelque part à bord une pièce de remplacement pour le commutateur enlevé ? Peut-être que Goldstein s'était trompé ?

Un vrombissement sourd retentit. Il se tut presque aussitôt.

Je me concentrai sur Goldstein.

Il était le calme en personne. Il ne doutait pas le moins du monde de l'échec de l'Atlante.

Une heure environ passa. Le cube ne s'éleva pas. Le sas s'ouvrit de nouveau. Des pas s'approchèrent de moi. A travers mes paupières closes, j'eus l'impression de voir l'Atlante se pencher au-dessus de moi.

— Félicitations, général, dit-il d'une voix glaciale, sans la moindre sympathie. Vos hommes ont agi avec prudence. Mais cela ne vous servira à rien. En cas de nécessité je démonterai le déformateur temporel dans ses moindres pièces jusqu'à ce que je découvre comment vous empêchez l'appareillage.

J'aurais aimé lui répondre mais les muscles de mes lèvres et de ma langue ne se pliaient pas à ma volonté. J'étais paralysé de la tête aux pieds et cela durerait encore des heures. Je ne pus m'empêcher de penser aux pêcheurs danois que j'avais paralysés.

Takalor me poussa du pied.

— De toute façon, j'atteindrai la Lune, général. En dernier ressort je tuerai même un membre de votre groupe pour forcer les autres à dire la vérité.

« Tu ne le feras pas ! pensai-je. Tu ne pourras savoir si celui que tu tues n'est pas le seul à savoir ce qu'il faut faire. »

Takalor s'éloigna de nouveau. Il retourna dans le transmetteur temporel et se remit à l'ouvrage. Quand il resurgit près de moi, quatre heures plus tard, la paralysie régressait. Je pouvais déjà réouvrir les yeux et en regardant l'Atlante je vis qu'il n'avait enregistré aucun succès. Je me forçai à sourire.

Takalor me regarda avec un mélange de curiosité et d'aversion.

— C'est le commutateur à coulisse, me déclara-t-il. C'était un coup habile de l'enlever, lui précisément.

Par là il se découvrit. Il me révélait qu'il ne possédait effectivement aucun moyen d'échanger le commutateur. Ainsi la mesure de Goldstein avait été un succès complet.

Takalor se pencha au-dessus de moi et me massa les joues. Je sentis la vie y revenir.

— Nous devons arriver à un accord, dit l'Atlante. Apparemment, aucun de nous ne peut progresser seul.

— Maintenant vous nous sous-estimez encore une fois, répondis-je péniblement.

Il était accroupi sur ses talons, le radiant posé sur ses cuisses, et il s'était posté de manière à pouvoir nous surveiller tous. Nul ne pouvait l'attaquer par surprise.

— Vous n'avez aucune idée de ce que peut accomplir l'esprit d'invention humain. Ne croyez donc pas que sans vous nous ne pouvons trouver les quartz oscillants et les remplacer.

Sa mine s'assombrit légèrement et ses yeux scintillèrent d'un éclat étrange. Je sentis qu'il avait encore quelque atout dans sa manche. Je n'avais pas encore gagné.

— J'espère que la preuve du contraire ne vous sera pas donnée lorsque vous serez seul sur la Lune. Vous pourriez vous trouver devant des problèmes insolubles. Voulez-vous vraiment courir ce risque ?

Takalor découvrit ses dents immaculées et me sourit.

Je réfléchis. Depuis longtemps déjà nous cherchions un homme qui s'y connaissait dans la technologie des anciens Martiens. Nous avions besoin d'un *ami* pouvant nous aider à résoudre les vastes énigmes qui se posaient toujours à nous sur la Lune, sur Mars et sur Vénus. Takalor était-il l'homme qu'il nous fallait ?

C'était une chance qui s'offrait non seulement au C.E.S.S. mais à toute l'humanité. Pour nous il importait de lui montrer que nous pouvions lui offrir une vie digne d'être vécue et que la tâche qu'il voulait à tout prix accomplir était au fond absurde.

Je ne devais pas renvoyer Takalor avec rudesse. Mais il ne devait pas non plus croire que nous nous inclinerions devant lui. Aucun de nous ne pouvait être obligé de se sentir inférieur à lui seulement parce qu'il avait des connaissances techniques qui nous faisaient défaut.

— Vous exagérez, Takalor, dis-je d'une voix rauque. (Je surmontais peu à peu la paralysie et je bougeais bras et jambes pour faire circuler le sang plus vite et obtenir ainsi le plein fonctionnement de mes muscles et de mes nerfs.) Vous avez laissé tomber le masque. Nous savons maintenant que vous essaierez de nouveau de vous débarrasser de nous. Ainsi les positions sont claires. Ne voyez plus en moi l'allié intéressé par vos objectifs.

— Qu'êtes-vous alors ?

— Trouvez la réponse vous-même, Takalor. (Je me levai.) Nous vous avions fait une proposition. Vous nous aviez donné l'impression que vous étiez prêt à l'accepter. Réfléchissez à la manière dont les choses peuvent se poursuivre. Peut-être trouverez-vous une réponse qui vous surprendra vous-même.

Les muscles de ses joues se raidirent et une petite ride apparut entre ses sourcils. J'étais certain qu'il trouverait bientôt ce que j'avais voulu dire.

CHAPITRE III

— Déposez votre arme, dis-je.

Takalor hésita.

— Il n'a toujours pas compris, fit remarquer le nabot.

Il se dirigea vers l'Atlante et s'arrêta juste devant lui. Il se mit les mains sur les hanches et leva les yeux vers Takalor.

— Faut-il que je lui donne un coup de pied dans les tibias pour qu'il comprenne que c'est nous qui avons les meilleurs arguments ? me demanda-t-il.

Takalor plissa les yeux. Il posa la main sur son radiant. Soudain son visage refléta de nouveau la méfiance.

— Quelle garantie ai-je, général ? Qu'est-ce qui me dit que vous ne me laisserez pas ici, sur la Terre ? me demanda-t-il.

— Ma parole. Cela doit vous suffire. Par ailleurs nous ne pouvons nous permettre de vous laisser seul à cette époque.

— Je perds patience, dit Annibal en dévisageant l'Atlante qui le dépassait de beaucoup, de la tête aux pieds. Faut-il vraiment que je me montre brutal ?

— Mais non, répondit Takalor avec ironie. Personne n'ignore que là où l'intelligence s'achève, commence la violence. C'est une vieille expression de mon peuple.

Il sortit son radiant du holster et le tendit au nabot.

— Et vous n'allez tout de même pas avouer, major, que vous êtes à la limite de votre intelligence, n'est-ce pas ?

Annibal Othello Xerxès Utan le méprisa. Il prit le fulgurant, fit demi-tour et se dirigea vers le sas du déformateur temporel sans prêter plus longtemps attention à l'homme du passé. Framus Allison suivit. Il passa devant Takalor comme si celui-ci n'existait pas. Kiny Edwards, par contre, s'arrêta devant lui.

— Je n'aurais pas pensé que vous feriez cela, monsieur, dit-elle avec sa réserve habituelle. Je crois que ce n'était pas particulièrement malin de votre part.

Apparemment, entendre ces paroles de la bouche de la jeune fille blessa Takalor. Il serra les lèvres. A cet instant il était vraiment près de la défaite. Mais il se ressaisit très vite. Il sourit, claqua des doigts et s'inclina légèrement devant Kiny.

— Je regrette beaucoup d'avoir utilisé le paralysateur, déclara-t-il avec une ironie évidente. J'espère que les dégâts que j'ai ainsi créés sont limités.

La télépathe sourit tranquillement et se détourna. Peu après il n'y eut plus que Takalor et moi dehors. D'un geste je lui fis comprendre qu'il devait entrer dans le cube. Il obéit. A l'intérieur, Annibal le dirigea vers un fauteuil et lui ordonna de s'asseoir. Je vérifiai qu'aucune des caméras extérieures n'était branchée et alors seulement je priai le professeur Goldstein d'aller chercher le commutateur-tiroir.

Nous attendîmes. Je savais qu'en aucun cas le commutateur ne pouvait se trouver à proximité immédiate du cube car le risque qu'il soit découvert aurait été trop grand. Quelques minutes passèrent. Takalor tenta de nous dissimuler son agitation sans y parvenir tout à fait. Je devinais qu'il aurait aimé faire lâcher le commutateur à Goldstein. Mais cette fois-ci nous ne lui laissâmes aucune chance.

Le professeur revint. Il avait placé le commutateur dans une boîte de sorte qu'il ne pouvait subir aucun domage. Il le remit rapidement en place. Il ne lui fallut que quelques secondes pour cela. Puis il fit quelques essais. Des lumières vertes apparurent sur les champs de contrôle devant lui, avec les minuscules nuances connues qui n'étaient déjà plus perceptibles pour un œil humain normal. Mais je pouvais les percevoir sans recourir à des moyens techniques. Ma nouvelle faculté psi se développait nettement.

— Tout va bien, dit Goldstein. Nous pouvons appareiller.

Il n'envisageait nullement de remettre la direction des opérations à l'Atlante. Il procéda à quelques manipulations et entama la procédure d'appareillage. J'entendis le propulseur normal tourner. Le propulseur à antigrav, lui, ne fonctionnait pas parfaitement. Quelques voyants encore verts s'allumèrent devant le professeur.

Un frisson désagréable me passa dans le dos. Je sentis que quelque chose n'allait pas. Le malaise devint physiquement perceptible.

— Attention, il y a là quelque chose qui ne va pas, dit Nishimura soucieux.

Je me levai d'un bond.

Au même instant, Takalor aussi se leva brusquement. Il courut vers Goldstein et le fit tourbillonner. Il voulut me repousser et n'y parvenant pas il leva le poing sur moi.

— Laissez cela, imbécile ! rugit-il. Goldstein, coupez immédiatement. Coupez !

Annibal était déjà debout à côté de moi. Quand l'Atlante voulut de nouveau se libérer, je le lâchai. Il tituba en arrière et trébucha sur la jambe tendue du petit. Le visage de Takalor se tordit en une grimace de peur panique.

— Coupez ! Immédiatement ! répéta-t-il.

Je compris qu'il était vraiment sérieux et que ce qu'il exigeait était pour nous d'une importance considérable. D'un bond je fus à côté de Goldstein et je basculai le levier principal. Avec un gargouillis sourd, le propulseur s'arrêta.

Nishimura, Allison, Kenonewe et Samy Kulot surgirent à mes côtés. Pendant quelques secondes la situation fut embrouillée. Je ne quittai pas l'Atlante des yeux mais je voyais bien qu'il ne se préparait nullement à s'insurger de nouveau contre nous. Dans ses yeux écarquillés il n'y avait que la peur et la haine.

Je poussai l'Australien sur le côté et tendis la main à Takalor. Il ne la saisit pas et se releva sans mon aide. Il avait la respiration rapide et bruyante.

— Que s'est-il donc passé ? demanda Framus Allison. Je n'ai pratiquement rien vu.

— Je ne comprends pas, bégaya le professeur Goldstein.

Il se passa la main sur son visage de cire. Cet homme grisonnant était complètement décontenancé. C'était comme si quelqu'un lui avait ôté le sol sous les pieds. Un contrôle télépathique ultrarapide me convainquit qu'il ne savait effectivement pas ce qui s'était passé.

— Maintenant, ça suffit, dit Annibal dont les yeux étaient réduits à des fentes minces. M. l'Atlante est allé un peu trop loin.

D'un geste furieux il poussa Nishimura de côté, dégaina son thermoradiant et le pointa sur Takalor. Son pouce glissa sur la sécurité et la rabattit de côté.

Takalor recula.

— Vous ne comprenez absolument rien, dit-il hâtivement.

Je ne l'avais encore jamais vu dans un tel état ; il semblait paralysé par la peur.

— Ne vous inquiétez pas à ce sujet, répliqua le nabot, irrité. Je comprends parfaitement que ce monsieur a trafiqué le déformateur temporel de sorte que nous ne pouvons plus appareiller maintenant comme nous l'entendons. Il a eu suffisamment de temps pour ça. Très bien imaginé, ce plan, mais il ne fonctionne pas.

De nouveau la mine de l'Atlante se modifia. Une surprise démesurée s'y refléta.

— Vous pensez que j'aurais... ?

— En effet, je le pense. Et pleinement !

Le nabot était fou furieux. Effectivement nous n'étions pas loin de penser que l'Atlante, à son tour, avait manipulé le cube pour nous renvoyer la balle. Mais je ne voulais pas le croire. La mimique de cet homme d'habitude si maître de soi parlait un autre langage. Il s'était passé ici une chose qui l'avait surpris lui-même. Il ne s'était pas attendu à ce que le déformateur ne puisse appareiller.

— Bon, ça va, fis-je remarquer. Nous n'obtiendrons rien en tirant au thermoradiant ici, à l'intérieur.

Annibal me regarda.

— *Je le sais bien,* me fit-il savoir par télépathie. (Il n'était pas tout à fait aussi furieux qu'il prétendait l'être.) *Que faisons-nous de ce type ? Je propose de le jeter une fois pour toutes dehors.*

— *Ce serait une erreur. Tu sais que ce n'est pas possible.*

— *J'espère qu'en ménageant ce gaillard, vous ne commettez pas vous-même une erreur, général de brigade,* répliqua-t-il ironiquement.

— N'allons-nous pas donner enfin l'occasion à Takalor de s'expliquer ? demandai-je en remarquant que Framus Allison aussi voulait donner libre cours à sa colère.

Je notai aussi que le professeur Goldstein était debout devant les instruments et les regardait sans comprendre.

— Nous sommes bloqués, dit le scientifique. Comprenez-vous cela ? Quand nous avons voulu appareiller, nous sommes tombés dans une espèce de tourbillon énergétique dans lequel toute notre énergie menaçait de disparaître. Si vous n'aviez coupé les propulseurs, alors...

— Alors c'en eût été irrémédiablement fini de nous, compléta Takalor.

Il regagna son fauteuil et s'y laissa tomber.

— Croyez-vous vraiment que nous pouvons encore lui faire confiance ? demanda Kenonewe.

Il trouvait que je traitais l'Atlante avec trop de ménagements.

— Eh bien, parlez maintenant, Takalor, ordonnai-je.

— Nous avons été saisis par un aiguillage de champ énergétique quintidimensionnel oscillant, nous déclara-t-il, et ensuite il se tut comme si cela expliquait tout.

— Qu'est-ce que c'est ? demanda Annibal, soupçonneux. Une nouvelle arme des Britanniques dans leur combat contre les sous-marins allemands ?

L'Atlante fut irrité.

— J'ignore tout des sous-marins.

— Laissez cela, dis-je. Nous tous devrions comprendre que vous n'avez pas voulu parler d'une découverte des nations belligérantes de cette époque-ci. De quoi parlez-vous ?

— Je m'attendais bien à ce que les Denébiens ne restent pas tranquilles, répondit-il au lieu de répondre directement à ma question.

— Des Denébiens ? s'enquit Goldstein consterné. Vous ne parlez pas sérieusement. Comment des Denébiens pourraient-ils intervenir en 1916 avec des armes ultramodernes ? Vous ne savez ce que vous dites. Si les Denébiens étaient capables de cela, ils pourraient aussi décider de la guerre mondiale en quelques jours, suivant leur volonté.

— Cela n'est sans doute pas dans leurs intentions, répliqua Takalor.

— Au fait ! ordonnai-je avec énergie. Revenez-en au véritable problème dont il s'agit ici.

Il inclina la tête et essuya la sueur de son front.

— Vous savez que nous sommes venus de la Lune avec un astronef et que les Denébiens nous ont tiré dessus. La nef fut endommagée. Nous avons dû atterrir. Quand nous avons essayé de récupérer le vaisseau, nous avons dû nous battre contre les Denébiens.

— Je m'en souviens parfaitement, fis-je remarquer d'un ton sarcastique. Oftroc, votre ami fantastique, a été assez aimable pour oublier nos conventions et se faire sauter, lui et l'astronef. Ce fut un miracle que nous n'ayons pas subi le même sort.

— Et tout ça pour satisfaire votre haine des Denébiens, ajouta Annibal.

Takalor resta impassible. Les reproches passèrent sur lui comme s'ils n'avaient pas été exprimés. Pour lui, la mort de quelques Denébiens avait été plus importante que l'astronef. Il avait même aidé Oftroc à mener à bien son plan suicidaire.

— Pendant tout ce temps, je m'attendais à ce que les Denébiens répliquent à cette action, dit-il calmement. Cela n'aurait pas correspondu à leur mentalité de nous laisser nous en tirer sans dommages. Ils ont donc dressé un aiguillage de champ énergétique oscillant quintidimensionnel. Cela signifie qu'ils nous ont trouvés et se sont réglés sur nous.

Je ressentis des crampes dans l'estomac. Ainsi donc il y avait des Denébiens au-dehors, manifestement prêts à tout. Il semblait que c'en était fait de notre dernière chance de fuir cette époque pour retourner dans notre présent.

— Avec l'aiguillage de champ énergétique, les Denébiens peuvent aspirer toute notre énergie, constata le professeur Goldstein.

— Parfaitement exact, répondit Takalor. Mais seulement tant que nous libérons de l'énergie. Lors de l'appareillage, par exemple.

— Alors un décollage est exclu ? demanda Allison avec emportement.

Il ne voulait pas prendre son parti du fait que nous étions pris au piège. Il ne voulait pas l'accepter tout simplement.

— C'est exact, hélas ! répondit l'Atlante.

— Et si toutefois nous essayions ? demanda Nishimura.

— Ce serait alors la catastrophe. C'est pour ça que je voulais stopper les préparatifs d'appareillage. Hélas, j'en fus empêché. (Takalor me jeta un regard de côté.) Si les préparatifs avaient été poursuivis, le propulseur aurait complètement brûlé. Du déformateur temporel il ne serait resté qu'une coque calcinée parce qu'au terme de l'opération d'aiguillage une partie de l'énergie détournée revient d'un seul coup et détruit tout.

Je m'en étais douté. Maintenant je savais que Takalor n'avait pas essayé de nous jouer un tour. Sa peur et les sentiments de haine qui y étaient liés avaient été réels.

— Que faut-il faire ? demandai-je aussi calmement que possible.

L'Atlante écarta les bras.

— Il n'y a pratiquement aucun moyen d'échapper à un tel piège.

— A quoi ressemble ce piège, en somme ?

— Il se compose de deux pôles énergétiques. Dehors, il y a quelque part deux glisseurs équipés d'un appareil d'aiguillage de champ. Ils nous ont pris en tenaille. Cela signifie donc que les Denébiens nous ont repérés et savent où nous sommes.

— Alors nous avons encore une chance, fit remarquer Allison.

— Laquelle ? demanda Annibal.

— Nous devons attaquer les glisseurs, dit Nishimura.

— Nos armes suffiraient pour cela, ajouta Samy Kulot.

— Les Denébiens se protègent sûrement avec des écrans protecteurs très performants que l'on ne peut transpercer aussi simplement, objecta Goldstein.

— Tout à fait exact, déclara Annibal. Une attaque directe est une chose diablement périlleuse. Les Denébiens pourraient répliquer aux tirs, après tout.

Goldstein brancha les détecteurs du cube. Quelques secondes seulement s'écoulèrent avant qu'il ne détecte les deux glisseurs martiens. La perte d'énergie intervenue au cours de cette action fut considérable.

— Viens, petit, dis-je.

Nous quittâmes le déformateur temporel et nous nous frayâmes un chemin parmi les rochers, en direction de la côte.

Dix minutes plus tard, le visage barbu d'un homme à la peau étonnamment basanée apparut dans l'optique de visée de mon thermorak. Nul doute qu'il s'agissait d'un masque.

— C'est lui, dit le nabot derrière moi.

Il était couché comme moi, derrière les rochers au bord de la côte et guettait le chalutier qui semblait flotter, étrangement immobile, sur les vagues. Le mât n'oscillait que de quelques centimètres alors que le bateau aurait dû tanguer violemment. D'épais bancs de brume défilaient sur l'eau. Ils enveloppaient la coque du bateau. La tête de l'homme émergeait du brouillard, comme indépendante de son corps.

Le chalutier formait l'un des deux pôles de l'aiguillage de champ énergétique. Il n'était qu'un camouflage. Je supposai que les Denébiens utilisaient un glisseur martien mais l'avaient doté de quelques superstructures pour lui donner l'aspect d'un bateau.

Les yeux d'Annibal devinrent vitreux. Son arme s'abaissa. J'attendis qu'il redevienne actif. Ce fut un juron qui franchit en premier ses lèvres.

— Je ne passe pas, annonça-t-il. Mais je tiens tous les paris que celui-là, là-bas, est un Denébien.

Il leva son radiant et le pointa sur l'extraterrestre qui était à une centaine de mètres de nous. Je posai la main sur son bras.

— Regarde le scintillement, petit.

Le brouillard se déchira pendant quelques secondes. Un banc de saumons fendit les flots et fila en direction de l'embouchure de la rivière. Nous pûmes voir la coque du chalutier. Elle ne touchait pas l'eau. Un scintillement à peine perceptible indiquait que le glisseur à antigrav était enveloppé d'un écran protecteur énergétique que nous ne pouvions percer avec nos seules armes.

— D'où tiennent-ils le glisseur, la Perche ? Comment se sont-ils procuré les générateurs d'aiguillage ?

La voix d'Annibal était voilée. Le fait que quelques Denébiens aient réussi à se rendre de la Terre à la Lune était déjà dangereux. Mais, apparemment, ils disposaient aussi d'un certain matériel qui les rendait de beaucoup supérieurs à tous les autres hommes de l'époque. Pour nous il ne faisait plus aucun doute désormais que les extra-terrestres avaient joué un rôle important sur la Terre, au moins au début du vingtième siècle. Ils avaient pris de l'influence sur l'évolution de la révolution dans l'Europe de l'est. Raspoutine, un Denébien, était intervenu directement dans la politique de la Russie.

Combien de Denébiens y avait-il sur la Terre ? Où se cachaient-ils ? S'étaient-ils immiscés partout dans les centres du pouvoir ? A Berlin, Paris, Londres, Washington ?

Nous espérions que l'on n'en était pas encore arrivé là et que nous n'avions seulement affaire qu'à un petit commando qui se concentrait tout au plus sur deux sites d'intervention. Nous connaissions l'histoire de ce siècle et savions que le degré d'efficacité des étrangers avait eu des limites. Nous ne pouvions imputer aux Denébiens la responsabilité de tout ce qui ne nous plaisait pas dans l'évolution de la politique et de la technique des armes. Ainsi était-il établi, sans le moindre doute, qu'ils n'avaient eu aucune participation dans le projet « Manhattan ». Les bombes atomiques d'Hiroshima et de Nagasaki avaient été l'œuvre déplorable de nos seuls scientifiques.

Non, il ne pouvait y avoir eu qu'un petit groupe de Denébiens à l'œuvre sur la Terre.

— N'oublie pas qu'ils ont eu l'astronef martien quelque temps entre les mains, petit, répondis-je à la question du nabot. Quelques jours, certainement. Pendant ce laps de temps, ils ont certainement pu s'emparer de plus de choses que nous ne l'aurions voulu.

— Il nous faut faire quelque chose, mon grand. Cet avantage doit être cassé.

— En effet.

Je réfléchis fébrilement. D'une manière ou d'une autre, il nous fallait réussir à percer l'écran protecteur du glisseur de combat. Nous devions briser la puissance des Denébiens avant qu'ils ne puissent intervenir dans la guerre.

— Nous avons au moins trouvé l'un des points de départ de l'aiguillage du champ énergétique, constata Annibal. Si nous l'éliminons, la situation sera déjà meilleure pour nous.

— Nous défoncerons l'écran protecteur.

Nous nous retirâmes prudemment. Il ne servait à rien d'attaquer le glisseur. Les traits énergétiques de nos deux armes seraient restés sans effet sur l'écran protecteur. Nous n'aurions fait que trahir notre position et risqué d'être pris sous le feu des Denébiens. Peut-être nous en serions-nous tirés car nous disposions d'écrans individuels. Mais cela n'aurait pas été une partie de plaisir de se voir projetés par-dessus les rochers et les écueils de la côte, par l'impact de traits énergétiques gros comme le bras.

— Nous allons procéder différemment, dis-je en me redressant à demi.

Le dos courbé, nous courûmes dans une petite vallée vers une passe rocheuse. Nous sortîmes ainsi du champ de vision du Denébien. Nous avions eu de la chance. L'extraterrestre était manifestement moins attentif que nous ne nous y étions attendus.

Peu après, nous fûmes de nouveau devant le cube. Framus Allison emplissait le sas de son imposante silhouette. Il tenait son arme au creux du coude et ne posa aucune question. L'Australien nous connaissait assez bien pour être informé rien qu'à notre vue.

— Vous les avez trouvés, Thor, dit-il.

Nous entrâmes dans le cube et fîmes un bref rapport.

— S'il s'agit vraiment d'un glisseur de combat, nous ne pouvons rien faire, dit Takalor consterné.

— Peut-être que si, répondis-je, et je lui exposai comment je comptais résoudre le problème.

— C'est un suicide, dit-il une fois informé.

— Nous n'avons pas le choix. C'est la seule solution.

— Tirez-vous donc une décharge radiante dans la tête, c'est beaucoup plus simple, me conseilla-t-il.

Je me contentai de sourire. Je regardai Allison, Samy Kulot, Nishimura, Kenonewe et Kiny Edwards, les uns après les autres. Le colonel Steamers me fit un signe de tête. La télépathe me sourit avec confiance. Elle doutait moins que les autres de la réussite de mon plan.

— Nous devons trouver autre chose, conseilla l'Atlante violemment. A bord du déformateur temporel on trouvera quelque chose que nous pourrons utiliser comme arme efficace contre les deux glisseurs. Si nous lançons un tir convergent sur l'écran protecteur avec plusieurs radiants, nous parviendrons peut-être à le briser.

— A condition que le Denébien persiste à rester sur place et nous fasse le plaisir d'attendre patiemment que nous ayons réussi, fit remarquer Annibal en bâillant.

Par cette attitude il fit comprendre clairement à l'Atlante à quel point il trouvait sa proposition non réaliste. Les yeux de l'étranger jetèrent des éclairs furieux. Il ne supportait pas d'être écarté de la sorte. Surtout pas par un homme qu'il considérait comme un barbare pas très évolué.

— Vous croyez que le Denébien s'enfuira dès que nous tirerons sur lui ? demanda-t-il avec emportement. Vous ne connaissez pas ces créatures. Jamais elles ne prendraient la fuite, au contraire, elles passeraient immédiatement à l'attaque.

— Cela coûterait la vie aux hommes qui ne disposent pas d'écran protecteur, répliqua le nabot en jouant à celui qui est si las qu'il en tombe presque de son fauteuil.

Ses yeux se fermèrent. Mais il les rouvrit aussitôt quand sa tête bascula en avant et il sourit à Takalor avec une expression tout à fait idiote. Il devenait de plus en plus évident qu'il n'aimait pas l'Atlante et que cela ne le dérangeait pas de le lui montrer. Je décidai de le mettre en garde. Annibal commettait une erreur lourde de conséquences s'il sous-estimait cet homme. Par ailleurs, je ne pouvais permettre que de l'agressivité se développe entre ces deux hommes.

— *Sottise,* me signala-t-il en me révélant qu'une fois de plus il avait suivi mes pensées par télépathie. *Je sais très bien à quel point cette canaille est rusée et sournoise. Je veux le faire sortir un peu de sa réserve. Il commence à perdre la tête et cela pourrait l'amener à se comporter involontairement avec plus de loyauté à notre égard.*

J'acquiesçai d'un signe de tête.

Naturellement, j'aurais dû savoir qu'un psychologue aussi éminent que le nabot ne commettrait pas une erreur de ce genre.

— Peut-être avez-vous raison, concéda Takalor en hésitant. (Il haussa les épaules.) Je peux comprendre que vous luttiez contre les Denébiens avec une autre conception que la mienne.

— Pour vous cela ne jouerait aucun rôle si vous mouriez au cours d'une telle action, constatai-je.

Il me regarda tranquillement.

— Bien sûr que non, répondit-il, et il pensait vraiment.

Maintenant je pouvais comprendre pourquoi son visage avait été marqué par la peur, la haine et le désespoir quand il avait découvert que nous étions pris par un aiguillage de champ énergétique quintidimensionnel. En cet instant il avait dû craindre d'être victime d'une attaque denébienne sans pouvoir riposter. Pour lui il n'y avait rien de pire que d'être tué par des Denébiens sans leur infliger en même temps une défaite cuisante. Autrement il ne craignait pas la mort. Au contraire. Pour lui cela allait de soi que tôt ou tard il mourrait au combat. Mais d'ici là il voulait avoir exécuté les ordres que lui avaient donnés les Martiens.

— Pour nous, un tel plan d'intervention est hors de question, déclarai-je.

Takalor comprit qu'il ne servait plus à rien d'en discuter avec moi. Exaspéré, il serra les lèvres. Il répugnait à se soumettre à mes ordres.

J'étais décidé à opérer selon la tactique éprouvée du C.E.S.S., pourtant je me voyais contraint cette fois-ci à courir un risque plus grand que d'habitude.

Le colonel Reg Steamers, le premier, me donna toute son adhésion. Il était convaincu que j'avais pris la bonne décision.

Samy Kulot, le diagnostiqueur psi, était confiant. Il croyait en nous, le nabot et moi, et en nos facultés psi qui se renforçaient de jour en jour.

— Nous n'avons pas de temps à perdre, dis-je.

— Je suis de la partie, déclara Framus Allison.

— Vous pouvez compter sur moi, Thor, ajouta Nishimura qui était plusieurs fois champion du monde de tir rapide.

Ces deux hommes m'étaient absolument nécessaires pour cette opération. Ils avaient reçu de Tafkar un projecteur d'écran individuel. A l'aide de ces appareils martiens ils pouvaient, en quelques fractions de seconde, s'envelopper d'un écran à haute énergie ajusté à leur corps, à l'intérieur duquel ils étaient à l'abri des attaques énergétiques jusqu'à un certain point.

— J'insiste pour participer à cette action, dit Takalor. Après tout, il s'agit de Denébiens.

— Vous restez à bord du déformateur, Takalor, répondis-je.

Ses yeux s'assombrirent et, sous la peau de ses joues, ses muscles saillirent. Il se sentait humilié. Je n'y pouvais rien changer. Nous nous étions décidés à emmener cet homme sur la Lune parce qu'il était important pour nous et maintenant nous ne pouvions risquer sa vie.

— Faites attention à lui, Samy, demandai-je.

Nous quittâmes le transmetteur temporel. Je pris la tête. Le nabot suivit avec Allison et Nishimura. En silence nous parcourûmes le chemin jusqu'à la côte. Entre-temps le ciel s'était éclairci mais le brouillard ne s'était pas encore levé. Il planait toujours en nappe juste au-dessus de l'eau. Naturellement, le glisseur camouflé en chalutier n'avait pas quitté sa place.

Je vérifiai mon radiant à haute énergie et le pointai sur le bateau après avoir sorti la lunette de visée. Le visage du Denébien masqué apparut dans le microviseur reflex. Maintenant on voyait bien que l'étranger ne s'était pas donné beaucoup de peine. Pour des Norvégiens qui le découvriraient par hasard, ça pouvait suffire, mais pas pour nous : le déguisement était trop primitif.

Je fus frappé par l'épuisement du Denébien. Il semblait ne pouvoir tenir debout qu'avec peine. Seuls ses grands yeux étaient constamment en mouvement. Ils brillaient d'un feu mystérieux. Je savais que j'avais un bio-dormeur devant moi. Etait-ce le sommeil beaucoup trop long qui avait ôté ses forces au Denébien ? Ou y avait-il trop longtemps qu'il se trouvait en opération ?

— *O.K., mon grand, tente ta chance,* me cria le nabot par télépathie.

— *Je demande toute ton attention.*

— *Tu peux compter sur moi.*

Une succession d'écueils émergeant de quelques centimètres de l'eau partait de notre cachette jusqu'à proximité immédiate du glisseur martien.

Je me remémorai les démarches suivantes

et en arrivai de nouveau à la conclusion que le risque que je voulais courir restait dans des limites acceptables. Le Denébien pouvait compter que nous tenterions d'échapper à l'aiguillage de champ énergétique. Il s'attendait donc à une attaque. Et il tirerait instantanément s'il se sentait menacé.

Mon plan était basé là-dessus.

Je voulais qu'il tire sur moi ! C'était le seul moyen de le contraindre à découvrir lui-même son point faible que le nabot, Allison et Nishimura pourraient mettre à profit. Je ne pouvais qu'espérer qu'il ne me tirerait pas dessus avec les armes du bord, car mon écran individuel ne serait pas de taille à résister à un rayon énergétique gros comme le bras.

Je me redressai, glissai mon radiant dans ma ceinture, dans le dos, et quittai la cachette. En quelques bonds rapides je sautai par-dessus les écueils. Ils étaient glissants mais je ne tombai pas.

Le Denébien devint attentif. Il se leva d'un bond et me cria quelque chose. J'écartai les bras et souris. Je tentai vainement de percer par télépathie son écran protecteur. Je sentis que derrière lui se cachait une créature vivante, intelligente, mais je ne pouvais saisir ses pensées. Je ne pouvais donc que *deviner* ce qu'il ferait.

Il leva son arme. C'était un radiant martien dont les traits de feu développaient une chaleur de quelque quatre cent mille degrés. Involontairement, j'avalai ma salive. Je m'étais attendu à cette réaction mais c'était quand même un sentiment extrêmement désagréable de voir une telle chose pointée sur soi. Maintenant c'était une question de fractions de seconde.

Les sens en éveil, j'étais debout sur les rochers, à une vingtaine de mètres du chalutier. Maintenant on allait voir si je pouvais vraiment réagir plus vite que le Denébien.

Il me cria quelque chose. Ses paroles semblèrent à demi avalées par le brouillard. J'étais toujours à découvert. Je lui adressai un signe et fis comme si je ne pouvais le comprendre. Il devait avoir l'impression que j'étais absolument désarmé. Le projecteur de rayonnement de son arme émit un scintillement étrange, à peine perceptible. A cet instant je compris que le Denébien allait tomber dans le piège que nous lui tendions. Tout le reste se passa si vite que plus tard il ne fut guère possible de le reconstruire dans les détails.

Je misais tout sur mon don psi de prémonition de l'action. Il était à la base de mon plan et me faisait faire exactement ce qu'il fallait à la fraction de seconde décisive. De la main gauche je frappai sur le projecteur d'écran individuel pendu à ma ceinture. L'appareil, gros comme une balle, se mit instantanément en marche et m'enveloppa d'une lueur verdâtre qui parut couler sur mon corps.

Je me démasquai ainsi définitivement devant le Denébien. Le scintillement lui faisait comprendre d'un seul coup que j'étais un ennemi qui pouvait devenir extrêmement dangereux. Quand il eut compris cela, il tira.

Mais avant d'en prendre conscience, je réagis. Mon secteur psi me fit exécuter un saut de côté. Le rayon de feu éblouissant passa au-dessus de moi en feulant. Il estompa les couleurs du jour naissant et transforma les masses de roches sur la côte en un brasier liquide et blanc.

Mais je n'étais pas le seul capable de prévoir l'action !

Annibal Othello Xerxès Utan possédait le même don. Il perçut l'instant où le Denébien allait faire feu. Sa faculté psi lui fit faire la même chose au même moment. Alors que je tombais tout en saisissant mon arme, deux traits à haute énergie se croisèrent au-dessus de moi. Framus Allison et Nishimura passèrent à l'action avec deux bonnes secondes de retard.

Mais à ce moment-là, le trait de feu du nabot avait déjà atteint la brèche structurelle par laquelle était sorti le tir du Denébien. L'effet thermique s'abattit sur le glisseur martien. Deux autres charges suivirent quand Allison et Nishimura eurent tiré.

La force de feu concentrée se déchargea à l'intérieur de l'écran protecteur encore existant et détruisit toute la matière s'y trouvant. Je n'avais pas besoin de tirer.

Quand je touchai la surface de l'eau, tout était déjà terminé. Le Denébien ne put tirer une seconde fois. Il n'était plus qu'un amas de molécules de gaz incandescentes qui se déchaînaient dans une masse d'autres molécules de gaz.

Quand les énergies déchaînées se dilatèrent dans toutes les directions comme une explosion, j'étais couché entre des rochers incandescents qui, quelques secondes plus tôt, étaient encore baignés par la mer. Mon écran protecteur émit un scintillement rouge. Mais cette couleur ne me signala un péril extrême que pendant quelques secondes. Puis un torrent d'eau de mer glacée se déversa sur moi et sur les rochers. Il éteignit le brasier.

Je bondis hors de l'eau bouillonnante et courus par-dessus les rochers vers mes trois amis qui battaient eux aussi en retraite. L'onde de pression des gaz en expansion me poussait en avant.

Dans la ville de Kristiansand toute proche, où l'explosion n'avait pu passer inaperçue, on devait supposer que la gueule de l'enfer s'était ouverte parmi les écueils de la côte. Des curieux arriveraient certainement bientôt ici mais ils ne pourraient plus rien reconnaître. Et ils ne découvriraient jamais la vérité.

CHAPITRE IV

— Pourquoi ne pouvons-nous pas appareiller ? demanda Annibal. Nous avons supprimé un pôle de ce maudit aiguillage de champ, cela devrait pourtant suffire.

— J'ignore quelle est la puissance des appareils des Denébiens, répondit Takalor. Peut-être arriverons-nous à nous libérer et peut-être pas. Nous devons détruire aussi le second glisseur pour éliminer tout risque.

— Et comment approcherons-nous des Denébiens ? demanda Allison. L'équipage sait maintenant ce qui s'est passé. Il s'attend à une attaque et réagira en conséquence.

Je réfléchis. Nous ne pouvions nous permettre de rester inactifs. Chaque minute qui passait voyait nos chances s'amenuiser. Takalor s'affaira auprès des instruments puis il se tourna vers moi.

— L'aiguillage de champ énergétique fonctionne toujours comme avant, dit-il. Nous ne pouvons pas encore nous libérer.

Il plissa les lèvres en un sourire de supériorité.

— Vous avez supprimé le mauvais glisseur, général. Il ne contenait que les antennes de l'antipôle. Mais le véritable aiguillage se trouve dans l'autre glisseur.

— L'autre ne nous échappera pas, répliquai-je tranquillement.

Nos regards se croisèrent. Ses pensées m'étaient toujours inaccessibles. Il avait dressé un barrage psi que je ne pouvais briser sans grande peine.

— Sauf si vous travaillez contre nous, repris-je.

— Pourquoi le ferais-je ? Je veux me rendre sur la Lune. Je n'atteindrai pas cet objectif si je vous mets des bâtons dans les roues. Ne m'attribuez pas un manque de logique, ce serait vexant pour moi.

Je ne me souciai pas de sa remarque. Pour l'instant, ses préoccupations ne m'intéressaient guère.

— Que comptez-vous faire ? demanda le professeur Goldstein.

— Je vais attirer les Denébiens dans un piège où je pourrai les liquider.

— Cela était peut-être possible il y a une heure, mais plus maintenant, objecta l'Atlante. Il ne se laisseront prendre à aucun tour parce qu'ils peuvent imaginer ce que vous comptez faire.

— Vous verrez. Professeur, tentez un nouvel appareillage. Risquez jusqu'à quarante pour cent de nos réserves énergétiques.

— C'est de la folie ! protesta violemment Takalor. Si vous faites ça, autant abandonner la partie immédiatement.

Goldstein me regarda d'un air interrogateur. Il voulait savoir si j'allais modifier mon ordre.

— Qu'attendez-vous ? lui demandai-je.

Il se tourna vers ses instruments. Maintenant, Reg Steamers était nerveux.

— Peut-être ne devrait-on pas négliger aussi simplement les doutes d'un homme aussi expérimenté que Takalor, dit-il en hésitant.

— C'est exact, l'approuva Kenji Nishimura. Après tout, l'Atlante connaît beaucoup mieux que nous les limites du déformateur temporel. Pour lui cette technologie n'est pas...

— Ça suffit, Kenji, l'interrompis-je.

Il se tut. Manifestement, il ne s'était pas attendu à une attitude aussi déterminée de ma part. Il était accoutumé à être informé au préalable des motifs des décisions. Mais je ne voulais pas perdre de temps en discussions.

Goldstein procéda aux manœuvres nécessaires. Dans la cabine, le calme s'établit. J'entendis seulement Kiny Edwards mur-

murer quelques mots. Je sentais nettement que tous n'étaient pas d'accord avec ma décision. Le nabot non plus. Il ne dit rien et me dissimula ses pensées.

Goldstein hésita mais ensuite ses mains s'abaissèrent sur les touches de commandes de couleur. Des lumières vertes s'allumèrent mais virèrent instantanément au rouge vif. Takalor poussa un cri.

— C'est de la folie ! rugit sa voix dans le mini-haut-parleur de son appareil de traduction martien.

Goldstein tint bon.

Je vis des gouttes de sueur couvrir son grand front et ses doigts trembler. Il contrôlait les indicateurs des instruments d'un œil vigilant. Une ligne brisée verte passa sur un écran cathodique, mais se transforma soudain en une courbe rouge descendant abruptement.

— Quarante pour cent, cria Goldstein.

— Coupez ! ordonnai-je.

La sirène d'alarme retentit mais le son désagréable s'éteignit aussitôt en un gargouillis sourd.

— Vous ne savez plus ce que vous faites, général, s'emporta l'Atlante. Maintenant vous avez pratiquement détruit le déformateur temporel.

— Je ne suis pas près de croire cela, répliquai-je, et je me dirigeai vers Goldstein.

(Le scientifique était blême et avait les traits tirés.) Eh bien ?

— Nous avons perdu plus de quarante pour cent, m'apprit-il. Presque quarante-huit pour cent.

— Je l'avais prévu. J'aurais vraiment été surpris si la perte avait été exacte.

Takalor me saisit par l'épaule. Il voulait me faire faire demi-tour. Je balayai sa main, me tournai vers lui et l'attaquai avec brutalité et détermination. Je mis en œuvre toutes les forces psi dont je disposais. J'eus l'impression de le voir seulement à travers des voiles flottants. Son verrouillage psi se brisa mais se reconstitua dès que je me retirai. L'Atlante tituba en arrière. Son visage vira au gris cendré et ses yeux parurent s'enfoncer dans les orbites. Involontairement il se prit la tête entre les mains.

Il me regarda comme s'il voyait un monstre.

— Je vous conseille de ne pas recommencer ce genre de choses, dis-je avec un léger sourire. La situation n'est pas tout à fait comme vous l'imaginez, Takalor.

Il lui fallut quelques secondes pour se ressaisir. Il se détourna et se précipita au-dehors. Je l'entendis respirer profondément.

— Ne voulez-vous pas nous dire pourquoi vous avez pris cette disposition ? demanda Nishimura.

— Bien sûr que si, répondis-je. Vous savez que les Denébiens nous observent. Ils doivent croire que nous avons commis une grave erreur.

— Si vous n'avez fait que bluffer, vous avez dangereusement frôlé l'erreur, fit remarquer Samy Kulot.

— C'était mon intention, avouai-je. Les Denébiens doivent croire que nous ne nous étions attendus qu'à un seul adversaire, celui que nous avons supprimé. Ensuite nous avons tenté d'appareiller mais nous avons échoué.

— Qu'attendez-vous de cette manœuvre de diversion ? demanda Allison.

— Beaucoup de choses. Vous, le major Utan et Nishimura allez appareiller immédiatement avec l'avion-hélico. Les Denébiens vont nous repérer. Ils supposeront obligatoirement que nous tentons d'échapper au piège, étant donné que le cube n'est plus en état de vol. Cela les incitera à nous suivre. C'est exactement ce que je veux obtenir.

Naturellement, moi aussi je serai à bord. Je leur exposai la suite de mon plan. Encore une fois, je ne pus les convaincre tous. Seuls le nabot, l'Australien et Nishimura m'approuvèrent. Mais le champion de tir japonais avait cependant encore quelques objections.

— C'est risqué mais peut-être réalisable, fit-il remarquer finalement après que j'eusse répondu à quelques-unes de ses questions.

Je m'adressai au colonel Steamers.

— Pendant ce temps, vous prendrez le commandement ici. Le déformateur temporel ne doit tomber en aucun cas entre les mains des Denébiens. Il doit rester fermé. En cas de nécessité, vous ouvrirez le feu sur les Denébiens. Ne dressez pas les écrans protecteurs car l'énergie serait aussitôt aspirée.

— Bonne chance, répondit le colonel. J'espère seulement que les Denébiens ne tireront pas trop tôt. Cela serait fatal.

— Cela n'arrivera pas. Ils s'imaginent nous tenir dans leur piège. Ils chercheront donc à nous capturer. Il leur faut apprendre si nous sommes seuls ou si nous appartenons à un groupe plus important capable de gêner leurs projets. C'est là-dessus que je base mon plan.

Nous quittâmes le déformateur temporel. Takalor était dehors, debout sous un arbre. Il ne me prêta pas attention.

— Takalor, dis-je, regagnez le cube, s'il vous plaît. Nul ne doit rester ici, dehors. Vous non plus.

Il obéit en silence. Les muscles de ses joues tressaillirent. Je savais que vis-à-vis de lui, je devrais toujours être sur mes gardes. Mais je ne renonçais pas à l'espoir d'en faire mon ami, à un moment quelconque. Il avait été nécessaire de lui montrer que nous ne lui étions nullement inférieurs.

Le nabot était accroupi comme un singe somnolant, derrière le manche à balai de l'hélicoptère convertible. Celui qui ne le connaissait pas pouvait supposer qu'il avait l'intention de dormir. Je m'assis à côté de lui. Allison et Nishimura prirent place derrière nous. Ils posèrent leurs radiants sur leurs genoux et ôtèrent la sécurité.

Soudain, Annibal se redressa. Puis il grimaça un sourire.

— La dernière fois que j'ai participé à une course hippique comme jockey, je me sentais mieux que pour cette course poursuite. A quoi cela tient-il, grand chef ?

Il me regarda avec des yeux scintillant étrangement.

— A ce que tu hésites trop, répondis-je. Que dirais-tu si tu appareillais enfin ?

— Ah oui, je savais bien que je voulais faire quelque chose, répliqua-t-il en se frappant le front de la main.

Puis en un éclair il actionna les commandes, sans réfléchir. Les rotors se mirent en route et accélérèrent. L'appareil décolla en vrombissant. Tout d'abord il parut mener un vain combat contre la pesanteur mais ensuite il fila en avant comme propulsé par un ressort. Le nabot lança le convertible par-dessus les rochers, d'une manière fort périlleuse, et accéléra avec toute la puissance des propulseurs.

Nishimura se pencha involontairement en avant quand, à son avis, Annibal passa beaucoup trop tôt sur le statoréacteur. Nous fûmes plaqués dans nos fauteuils. Les pins rabougris semblaient tendre leurs bras vers nous et passaient dangereusement près de nous.

Nous ne pouvions faire autrement.

Les Denébiens devaient être convaincus que nous tentions de nous évader par un dernier acte désespéré. Ce n'était que s'ils tiraient cette conclusion de la façon dont nous volions qu'ils réagiraient comme je le souhaitais.

C'était pour cette raison que le nabot volait en rase-mottes. C'était aussi pour cela qu'il courait ce risque. Mais nous savions que nous pouvions nous fier à cent pour cent à lui et à son habileté de pilote : il savait exactement jusqu'où il pouvait aller.

Nous traversâmes une gorge. Une cascade tombait de la paroi rocheuse en face de nous.

— Les voici, cria Framus Allison.

Je vis encore quelque chose scintiller entre les pins rabougris puis nous fûmes passés. Un trait énergétique gros comme le doigt passa comme un feu follet sous la cabine. Il ne m'impressionna pas. Il me confirma plutôt que mon raisonnement avait été correct. Les Denébiens nous avaient remarqués trop tard et ensuite n'avaient pas eu le temps de viser.

L'appareil avait atteint une vitesse de près de 450 km/h. Devant nous, la ville de Stavanger apparut. Mais je ne voulais pas aller si loin. Mon objectif était à proximité immédiate. Je regardai alentour. Le glisseur martien fonçait littéralement vers nous. Il était plus rapide que notre convertible et la distance entre nous diminuait à une vitesse inquiétante.

Mon plan risquait-il d'échouer à la dernière seconde ?

Devant nous, des rochers usés par les glaciers se dressaient jusqu'à une altitude de quatre cents mètres environ. Je découvris la gorge que je cherchais. Une brève impulsion télépathique au nabot suffit. Il tira le glisseur sur le côté et le fit descendre encore plus bas. En survolant un lac, nous pénétrâmes dans la gorge.

Pendant un bref instant, j'eus la respiration coupée. Je craignis que nous n'ayons pénétré avec une vitesse suicidaire dans une caverne de montagne sans issue. Les rochers, des deux côtés, étaient en surplomb au-dessus de nous et ne laissaient plus qu'une fente étroite de libre. Mais elle était beaucoup trop étroite pour nous. Nous ne pouvions nous échapper par le haut et au-dessus de nous s'étendait un lac d'un noir profond.

Avais-je fait erreur ? Mon souvenir m'avait-il trompé ? N'y avait-il vraiment pas d'issue à ce défilé ?

En 1997 j'avais passé de courtes vacances dans cette région. Je savais donc qu'à cette époque-là, la gorge avait eu un tout autre aspect. Je savais aussi comment elle serait formée. Les masses rocheuses s'effondreraient des deux côtés, provoquant un amoncellement de blocs de rochers énormes, unique en Europe.

Gunnleiv Gilje, un Norvégien qui avait donné son nom à une large vallée des environs, m'avait raconté, au cours de mes vacances, que les masses rocheuses s'étaient effondrées au cours de la Première Guerre mondiale. Il n'avait pu me donner la date exacte. Pas même l'année. A l'époque où nous en avions discuté, cela ne m'avait pas particulièrement intéressé. Mais maintenant j'aurais donné cher pour savoir à la seconde près comment était né ce que les Norvégiens de la région appelaient la *gorge du tonnerre.*

Le convertible vacilla. Annibal décélérait au maximum. Nous fûmes projetés en avant. Devant nous surgit un trou dans les rochers qui, au premier coup d'œil, paraissait beaucoup trop petit pour nous.

— Nous n'y parviendrons pas, gémit Nishimura.

— Ils sont là, criai-je. Ouvrez le feu !

Je regardais en arrière. Je pouvais apercevoir nettement le glisseur martien qui nous avait suivis. L'appareil volait encore au-dessous de nous. Manifestement, les Denébiens s'attendaient à ce que nous nous posions quelque part par ici. Ils avaient prévu de surgir par le bas et de nous maîtriser. Je supposais qu'ils comptaient utiliser des armes de choc.

Mais les choses ne devaient pas en arriver là.

Nous ouvrîmes les hublots. Au-dessus de nous, les doubles couronnes de rotors crépitaient. Le nabot stoppa le balancement de l'appareil. Les parois rocheuses nous renvoyaient un écho insupportable. Le puissant dôme rocheux sous lequel nous nous trouvions semblait trembler sous le bruit de la technologie du futur. Quelques blocs de rochers se détachaient, ici et là, des parois.

Framus Allison, Kenji Nishimura et moi tirâmes avec nos radiants martiens.

En feulant, les traits de feu filèrent vers les parois rocheuses et creusèrent des sillons incandescents dans la roche. A cet instant, les Denébiens comprirent qu'ils s'étaient jetés dans un piège mortel. Tandis que le nabot accélérait de nouveau le convertible, violemment, et le dirigeait vers l'ouverture au-dessus de nous, le rocher friable vola en éclats comme sous l'effet d'une explosion. Ce que l'eau gelée des rudes hivers norvégiens n'avait pas réussi à faire, la chaleur infernale des trois armes atomiques d'une autre planète y parvint alors. Sous la puissance de quatre cent mille degrés, les parois de la gorge éclatèrent. Un grondement de tonnerre retentit qui s'entendit certainement jusqu'à Stavanger, distante de quarante kilomètres. Les rochers en surplomb s'effondrèrent avec une violence inconcevable.

Moi-même, pendant quelques fractions de seconde, je ne crus plus pouvoir échapper à cet enfer. Sur plusieurs centaines de mètres de longueur, des centaines de milliers de tonnes de rochers glissèrent dans l'abîme. Elles ensevelirent tout ce qui se trouvait en dessous. Face à cette puissance, même la technique très développée de leur glisseur de combat ne servit à rien aux Denébiens.

Les forces naturelles déchaînées jetèrent par terre tout ce qui se dressait en travers de leur chemin. Quand je regardai en arrière, je crus voir un éclair. Mais les masses de roche, de poussière et de feu dissimulèrent tout.

Annibal qui était doté, lui aussi, de cette merveilleuse faculté de prévoir l'action, fit monter le convertible le long de la cascade de rochers. Il savait toujours d'avance de quel côté il devait se tourner pour ne pas être touché. Nous atteignîmes l'air libre et regardâmes avec épouvante le chaos que nous avions engendré.

Je ne ressentais aucune satisfaction. J'avais presque pitié des Denébiens. Jusqu'au dernier instant ils n'avaient sans doute pas pensé que nous pourrions transformer en arme et diriger contre eux les réalités de la nature norvégienne.

Annibal fit encore monter le convertible. Par une impulsion télépathique, je le dirigeai le long des cassures de la gorge qui avait maintenant un diamètre de plusieurs centaines de mètres au sommet là où, auparavant, il n'y avait eu qu'une fente étroite de quelques mètres. Ainsi la voie fut ouverte pour les masses d'eau d'un lac situé plus haut. En écumant, elles se précipitèrent dans le chaos.

Un étrange sentiment se glissa en moi.

Je me souvins que j'étais passé dans cette gorge au cours de mes brèves vacances ici. Et j'avais alors souhaité pouvoir observer, un jour, comment s'opérait un tel effondrement de roches friables.

Je ne m'étais alors pas douté que je serais à l'origine de cet effondrement. Et que cela ne m'amuserait pas.

J'avais un goût amer dans la bouche.

— Les Denébiens ont-ils encore une chance ? demanda Allison.

— Sûrement pas, répondit Nishimura, d'un ton décidé. Ils ne peuvent avoir survécu. Je ne puis imaginer que les écrans protecteurs résistent à cela. Non, c'est fini. Vous pouvez y compter.

— Nous restons encore ici, dis-je.

Annibal posa le convertible sur un haut plateau. D'ici nous avions un bon point de vue sur la gorge qui se trouvait d'ailleurs toujours sous un épais nuage de poussière. Mais peu à peu, la poussière retomba.

Nous attendîmes une heure. Nous sûmes alors qu'il n'y avait plus aucun Denébien vivant dans la région. Des sondages télépathiques ne donnèrent absolument rien.

Pendant ce temps, je dus encore entendre un reproche d'Annibal.

— *Tout cela a commencé d'une façon plutôt autoritaire, général de brigade,* me déclara-t-il par télépathie. *Ce n'est pas dans les règles du C.E.S.S. d'agir sans discuter en groupe de la situation.*

— *Il importait de faire vite,* répondis-je. *Dans ce cas, je devais mettre tout le monde dans l'obligation d'agir. Une discussion approfondie, comme d'habitude, aurait fait paraître notre réaction suspecte aux Denébiens. Un bluff n'aurait plus été possible. C'est pourquoi il fallait simuler ce départ pour que la perte d'énergie ainsi produite ne nous laisse d'autre solution que la fuite.*

— *Entendu, Votre Béatitude,* répondit-il, moqueur.

Il avait compris et accepté.

Je m'en étais tenu aux règles du C.E.S.S. et n'avais nullement agi à l'encontre des principes qui s'étaient avérés efficaces.

Au contraire. J'avais fait usage du droit du commandant, de prendre seul des décisions et de les mettre à exécution dans les plus courts délais.

CHAPITRE V

— J'avoue que vous aviez le meilleur plan, déclara Takalor en venant vers moi. Vous avez couru un risque mais cela en valait la peine.

Je l'examinai tandis qu'Annibal et Allison poussaient le convertible dans le sas de charge. L'Atlante donnait l'impression d'être soulagé d'un grand poids. Je pouvais le comprendre. A nous non plus, une défaite infligée par les Denébiens n'aurait pas fait plaisir.

— Je me demande quelles seront les difficultés que nous rencontrerons sur la Lune, dis-je.

Je ne mentionnai pas Tafkar. Jusqu'alors je n'avais pas encore informé Takalor de notre rencontre sur la Lune, avec le chef de son expédition. Je n'avais eu aucune raison de le lui révéler.

Tafkar avait dû reconnaître qu'après son arrivée en l'an 2011, il ne pouvait plus pénétrer dans les installations lunaires qu'il avait quittées au départ de son voyage temporel. Zonta lui en avait refusé l'accès. Pour l'Atlante, cela avait été une réaction vraiment incroyable de la part du cerveau-robot.

Tafkar avait été contraint de faire des efforts extraordinaires pour pouvoir s'approcher quand même des quartz oscillants en 5-D dont il avait besoin. C'est ainsi qu'il avait tenté de m'enlever, moi le détenteur d'un codateur, pour se faire ouvrir de cette manière les sas de la forteresse lunaire.

— Je ne puis vous bercer d'espérances sur la situation là-bas, déclara Takalor. Mon groupe a quitté le déformateur temporel parce que nous pensions que c'était le seul moyen d'atteindre notre objectif.

— Nous verrons, dis-je. De toute façon, nous n'avons pas d'autre solution. Nous devons partir pour la Lune.

Samy Kulot se joignit à nous. Il paraissait avoir retrouvé son calme habituel. Un léger sourire flottait sur ses lèvres ; il avait entendu les dernières paroles.

— A vrai dire, vous devriez pouvoir répondre à une question qui nous préoccupe depuis longtemps déjà, dit-il à l'Atlante. Nous supposons que la Lune n'a pas été seulement une forteresse et un chantier de constructions astronavales, mais qu'elle renferme bien plus de choses.

Takalor acquiesça de la tête.

— Vous avez raison, répondit-il de bonne grâce. Plus de la moitié de la Lune est évidée. Il existe de vastes laboratoires de recherches beaucoup plus étendus que les chantiers. Si vous ne les avez pas encore trouvés, vous n'avez alors découvert jusqu'à présent que la plus petite partie des installations. C'est précisément ce département de recherches qui nous importe, car c'est là que sont stockés les quartz oscillants. Croyez-vous que nous pourrons briser la résistance du cerveau-robot ?

Il me regarda d'un air inquisiteur.

— Je le pense, répondis-je évasivement. Nous trouverons le moyen. Auparavant, il me faut savoir comment vous êtes parvenus à monter à bord de l'astronef.

Il baissa les yeux et hésita à répondre.

— Il s'agissait d'un navire que nous avons trouvé à l'extérieur de la forteresse, avoua-t-il finalement. Il était déjà avarié. Manifestement, Zonta ne le contrôlait pas. Nous avons pu l'occuper et appareiller. Nous ne sommes pas parvenus à pénétrer dans la forteresse lunaire.

Je m'étais attendu à quelque chose de ce genre. Il ne pouvait en avoir été autrement. Takalor avait trouvé manifestement difficile de faire cet aveu. Cela me prouvait que sur la Lune il avait connu l'échec, tout comme son supérieur Tafkar.

Nous pénétrâmes dans le déformateur temporel. L'embarquement du convertible était terminé. Les préparatifs d'appareillage étaient en cours. Après les événements des dernières heures, ils se trouvaient sous l'étoile la plus défavorable que l'on pût imaginer. Les réserves énergétiques apparemment inépuisables du déformateur temporel constituaient le facteur de risque numéro un. Nous devions cependant tenter l'appareillage si nous voulions revenir un jour dans notre temps réel. En tout cas, en 1916 il n'y avait rien pour nous permettre d'améliorer notre situation énergétique.

Dans la cabine il régnait un silence tendu. Avec l'Atlante, nous étions quatorze. Le professeur Goldstein, Framus Allison et le major Naru Kenonewe se trouvaient devant le pupitre de commande de l'appareil et procédaient aux premières commutations. Ils n'attendaient plus que Takalor. L'Atlante se dirigea vers eux. Je restai près du sas et vérifiai s'il était vraiment parfaitement fermé. C'était une activité inutile car les dispositifs automatiques sonneraient instantanément l'alerte si quelque chose n'était pas en ordre.

— *Nerveux ?*

— *Je pense au danger denébien, petit,*

répondis-je. *Il ne fait maintenant aucun doute qu'en 1916 déjà, quelques-uns des bio-dormeurs se sont éveillés et activés. Combien... cela Dieu seul le sait.*

— *Le diable,* me corrigea-t-il.

— *D'accord, lui aussi,* répondis-je malgré moi, bien que le nabot eût raison. (Il était inconstestablement plus correct de mettre les Denébiens en relation avec les puissances du mal.) *Je me demande combien seront devenus actifs, sur la Lune, pour nous accueillir.*

Le nabot partageait mes soucis. Il se faisait les mêmes réflexions que moi. Nous ignorions ce qui s'était passé en 1916 sur la Lune. Nous savions seulement qu'en 2004 j'avais détruit des couveuses denébiennes. C'était pour moi un fait sur lequel on ne pouvait plus revenir.

Si j'arrivais maintenant, en 1916, sur la Lune et me heurtais à des Denébiens, est-ce que je n'influerais pas sur les événements de l'an 2004 ?

— *Arrête ta machine à penser,* me conseilla Annibal avec un sarcasme nettement perceptible. *Elle pourrait chauffer et ne plus fonctionner du tout par la suite.*

— *Tu as peut-être raison,* répondis-je.

Mais en même temps je me verrouillai contre son espionnage. Je ne laissai plus passer ses impulsions d'appel. Il me fallait éclaircir la situation avec une exactitude mathématique avant qu'il ne se produise, sur la Lune, un événement qui pourrait avoir des conséquences imprévisibles et peut-être catastrophiques en l'an 2004.

J'étais quelque peu désemparé face aux événements à venir. Je décidai de discuter du problème avec le colonel Reg Steamers, psychologue et logicien des ultra-ensembles. Allison, physicien des hautes énergies, et Nishimura, logicien en programmation, pouvaient m'aider eux aussi.

— Vous devriez vous asseoir dans un fauteuil anti-g, me conseilla Takalor. Les antigravs ne fonctionneront pas parfaitement, vous le savez bien, général.

Je fus arraché à mes pensées et remarquai que tous m'attendaient. Les regards des autres étaient posés sur moi. Le visage de Kiny exprimait bien trop clairement son inquiétude à mon sujet.

Je me dirigeai vers mon fauteuil, m'assis et bouclai les ceintures de sécurité qui n'avaient jamais fonctionné parce que des pannes comme celle-ci ne s'étaient jamais produites. Jusqu'à présent, les fauteuils anti-g à bord d'un astronef martien m'étaient toujours apparus comme des anachronismes.

J'entendis le propulseur se mettre en marche.

Involontairement, je sondai les environs,

au-dehors. J'ouvris mes sens télépathiques en quête de témoins pouvant devenir dangereux pour nous. Il n'y en avait pas. Je découvris quelques paysans travaillant dans leurs pauvres champs à quelque distance de là. Une troupe de soldats venait de Kristiansand mais elle était encore bien loin.

Puis le propulseur rugit. Je sentis le cube trembler. A l'aide du propulseur à antigrav, Takalor contraignit le déformateur temporel à sortir de la vallée.

Tout d'abord nous dûmes nous en remettre entièrement à cette mécanique endommagée. Ce n'est que lorsque nous eûmes atteint l'altitude de vingt mètres que l'Atlante dévia toutes les énergies sur le propulseur atomique normal.

En ces secondes, des masses de gaz incandescents jaillirent des tuyères d'échappement. Dans la vallée où nous nous étions dissimulés, la végétation s'enflamma. Une vague de chaleur passa par-dessus les sommets arrondis des montagnes et fila vers la mer.

Je crus entendre les cris d'effroi des paysans et des soldats. Les hommes se jetèrent au sol. Ils croyaient que la Terre éclatait et que c'était la fin du monde. Au milieu de la nature apparemment paisible de la Norvège, quelque chose s'éleva, crachant le feu, une chose qui pour les hommes de cette époque devait faire l'effet d'un monstre préhistorique ou d'un messager de l'enfer.

Tous nous sentîmes l'accélération quand le cube en métal M.A. fut tiré vers l'avant. Sur les écrans cathodiques, je vis les épais bancs de nuages qui s'étendaient au-dessus de la côte. Ils vinrent vers nous à une vitesse incroyable tandis que nous étions plaqués au fond de nos fauteuils. En ces secondes, l'antigrav ne libéra pas un seul anti-g mais laissa les forces d'accélération agir pleinement sur nous. Je notai que mon visage se déformait sous l'effort. Les plaintes de Kiny Edwards retentirent en moi. La frêle jeune fille était celle qui souffrait le plus. J'aurais aimé pouvoir l'aider.

— Goldstein, criai-je en gémissant.

Il comprit. Malgré la résistance de Takalor, il dévia une partie de l'énergie qui nous restait, dans l'antigrav. Aussitôt la charge céda. Mais quand je voulus me pencher en avant, il y eut une interruption. L'antigrav tomba en panne et je fus violemment projeté en arrière. Involontairement, je bandai les muscles de la nuque. Ma tête vola dans le capitonnage du fauteuil et une douleur violente me zébra la nuque.

Nous filâmes à travers les nuages. Audessus de nous il n'y avait plus que le ciel bleu qui s'assombrissait rapidement et fut ensuite tout noir. De nouveau l'antigrav réagit et nous procura quelque soulagement. Maintenant c'était Takalor lui-même qui ne supportait plus les forces d'accélération. Il alimenta le propulseur antigrav. Pendant trois minutes environ nous nous sentîmes libérés. Nous pûmes respirer normalement et bouger sans difficulté. Pendant ce temps, le cube se plaça sur une orbite autour de la Terre.

Nous avions réussi.

L'Atlante voulut s'accorder, ainsi qu'à nous, une pause.

— Ça marche mieux que je ne pensais, annonça le professeur Goldstein en me regardant par-dessus son épaule. Lors de votre bluff contre les Denébiens, vous avez calculé la perte d'énergie avec une précision incroyable. Comment avez-vous su jusqu'où vous pouviez aller ?

Je crus percevoir une certaine méfiance dans ses paroles. Supposait-il que des forces psi aient été en jeu, dont je n'aurais pas encore parlé aux autres ? C'était de la part de Goldstein que je m'attendais le moins à ce genre de réflexion. Mais je pouvais le comprendre. Les scientifiques du C.E.S.S. savaient qu'Annibal et moi étions télépathes. Ils avaient compris que nous développerions aussi des facultés psychokinésiques. En fait, elles s'étaient déjà manifestées chez moi dans une certaine mesure. Ils pensaient qu'à un moment quelconque nous serions également capables de téléportation. Il était établi que nous vieillissions plus lentement que les hommes normaux. Dans ces circonstances, cette interrogation angoissée, permanente, au sujet d'autres facultés naissantes, n'était-elle pas compréhensible ?

Je devais leur donner raison. J'avais effectivement progressé à un tel point que je ne leur révélais plus tout, en partie par manque de certitude mais en partie aussi parce que je ne voulais pas agrandir la faille entre eux et nous.

J'adressai un sourire rassurant à Goldstein.

— Ce fut seulement un coup de chance, répondis-je. Rien de plus. Cela aurait pu aussi mal tourner.

Il serra les lèvres, mais aussitôt après, ses traits se détendirent. Il se tourna vers ses appareils. Conjointement avec l'Atlante, il examina tous les contrôles. Il s'efforçait intensément de ne pas penser à moi. Il discutait à voix basse avec Takalor. Annibal et moi les laissâmes en paix. Ils étaient indubitablement ceux qui s'y entendaient le mieux dans la technique du cube.

— Nous accélérons de nouveau, annonça Goldstein au bout de quelques minutes. Tout va bien. Seul l'antigrav ne fonctionne pas tout à fait parfaitement. Mais nous parviendrons à gagner la Lune. Takalor non plus n'en doute pas.

Au-dessous de nous s'étendait le continent australien. Intéressé, Framus Allison regarda les écrans bien qu'il ne pût reconnaître grand-chose. La majeure partie de son pays était cachée par la couche de nuages. A cette époque il n'y avait pas encore de technologie développée en Australie. Sans doute n'aurait-on pu déterminer par des moyens conventionnels si le continent était déjà colonisé.

— *Comment ça va ?* demandai-je à Kiny.

— *Tout va bien, chef*, répondit-elle. *J'ai eu un peu peur mais c'est fini maintenant.*

Je savais que je n'avais pas besoin de m'inquiéter davantage. La petite avait surmonté sa première frayeur. Désormais elle ferait de nouveau confiance à la technique et accepterait les efforts sans se plaindre. Elle était déjà allée bien souvent dans l'espace. Elle savait donc qu'ici elle y était relativement plus en sécurité que pendant la phase de décollage.

Le vrombissement des propulseurs nous parvint pendant quelques secondes. Nous fûmes de nouveau plaqués dans nos fauteuils. Le déformateur temporel fonçait vers le satellite de la Terre.

Tout le reste se déroula à une vitesse surprenante. Takalor contrôlait mieux que prévu les propulseurs nucléaires du cube. L'antigrav se rétablit et fonctionna finalement presque parfaitement. De temps en temps seulement, une secousse désagréable nous parvenait. Ces défaillances occasionnelles nous contraignaient à rester attachés.

Quatre heures plus tard, nous approchions déjà de la Lune. L'Atlante décéléra prudemment.

— *Maintenant on va bien voir, la Perche.*

C'était Annibal.

— *Nous réussirons,* répliquai-je avec plus de confiance que je n'en ressentais.

Au cours des heures écoulées, j'avais tenté de me préparer. Mais de nombreuses questions étaient restées sans réponse. Qui nous attendait sur la Lune ? Quelle était la force des Denébiens ? Il était certain que nous avions déjà été repérés. Les installations correspondantes du cerveau positonique étaient vastes et extrêmement performantes. C'eût été un miracle si nous n'avions pas encore été saisis par les détecteurs. Mais quelle serait la réaction ? Zonta allait-il nous adresser la parole ou nous attaquerait-il et nous anéantirait-il sans avertissement préalable ?

Les installations de défense de Zonta suffisaient pour détruire des flottes entières d'astronefs ultramodernes. En comparaison, le cube n'était rien. Il pouvait être supprimé de ce niveau d'existence, même avec ses écrans protecteurs branchés, sans que Zonta utilise plus qu'un ou deux pour cent de tout son potentiel combatif.

Combien de temps devais-je attendre avant de me manifester ? Quel risque pouvais-je courir ?

Je sentis croître la tension des autres. Ils étaient nerveux parce qu'ils savaient qu'eux-mêmes ne pouvaient rien faire et que tout dépendait de moi seul. Ils ne pouvaient qu'attendre que je fasse quelque chose et que je le fasse rapidement. A chaque mètre qui nous rapprochait de la Lune, leur agitation croissait.

— Mettez-vous en orbite autour du satellite, ordonnai-je d'une voix calme. Distance : 2000 kilomètres.

— C'est trop près, laissa échapper le professeur Goldstein.

Ses mains se levèrent mais je ne répétai pas mon ordre et ne le rectifiai pas non plus. Zonta n'avait aucune raison de tirer, dans une colère aveugle, sur tout ce qui s'approchait de la Lune. Plusieurs commandos américains de l'espace avaient pu se poser sur la Lune sans être inquiétés par Zonta. Pendant des années nous avions même ignoré l'existence d'un cerveau géant sur le satellite de la Terre.

Zonta ne tirerait que si les données obtenues par les détecteurs rendaient vraisemblable une attaque entraînant des dégâts au cerveau. Mais nous ne disposions pratiquement d'aucune arme nous permettant d'agir sérieusement.

Nous nous mîmes en orbite. L'astre, d'un blanc crayeux, se dessinait clair et net sur les écrans. La tension à bord se relâcha quelque peu. Je remarquai qu'Allison me regardait d'un air inquisiteur.

Je saisis mon codateur qui jusqu'alors m'avait fait reconnaître par Zonta dans la plupart des situations et établissait une liaison sûre avec lui. Zonta m'entendrait dès que je parlerais, cela ne faisait pas le moindre doute.

J'enfonçai la touche d'activation et me présentai, parfaitement conscient que le cerveau-robot ne pouvait pas encore me connaître. Ceci était ma première prise de contact avec Zonta. Ce n'est que beaucoup plus tard que je prendrais conscience que mes efforts, près de cent ans plus tard, après le surstockage d'intelligence, avaient déjà été programmés d'avance à cette heure-ci.

Une situation singulière et qui paraissait irréelle !

— Ici le général de brigade HC-9 du Contre-Espionnage Scientifique Secret, détenteur de codateur et habilité à prendre contact, dis-je d'une voix incisive. Habilité par quotient car doté d'un Q.I. de plus de 50 nouveaux Orbtons.

Du coin de l'œil je vis Takalor sursauter. Il avait entendu mes paroles et savait ce qu'elles signifiaient. Il comprit que mon intelligence avait été surstockée et donc que je lui étais supérieur. Il devait tout d'abord digérer cette information. Jusqu'à cet instant il m'avait considéré comme un barbare plus ou moins intelligent, doté de certaines facultés psi, mais qui lui était naturellement inférieur. Maintenant il savait qu'il s'était trompé.

J'attendais une réponse de Zonta.

Elle ne vint pas.

Au bout de quelques minutes, un sourire dépréciatif apparut sur les lèvres de l'Atlante. Cela ne me dérangea pas.

— Réponds, Zonta, ordonnai-je. L'ordre est clair. J'exige obéissance et soutien. Ici le général de brigade HC-9 du C.E.S.S.

Zonta garda le silence.

Le cerveau ne réagissait pas et faisait comme s'il n'existait pas.

Je sentis le désarroi qui saisissait Annibal et les autres. Takalor nota notre déception et se sentit ainsi revalorisé.

— Ne vous abandonnez pas à de faux espoirs, dis-je doucement. Ce n'est pas la première fois qu'il nous faut vaincre de telles difficultés. Jusqu'à présent nous avons toujours trouvé une solution.

— Des espoirs ? demanda-t-il avec une ironie manifeste. Général de brigade, je suis à la merci de votre aide et de votre soutien.

— J'espère que vous ne l'oublierez pas, fit remarquer le nabot, irrité.

— Pourquoi le ferais-je ?

L'Atlante joua à l'homme supérieur. Peut-être attendait-il que nous lui demandions de l'aider. Mais j'étais absolument certain qu'*il* ne trouverait aucun moyen de pénétrer à l'intérieur de la Lune. Ce n'était pas un Martien, seulement un Atlante. Il appartenait donc à un peuple auxiliaire des Martiens. Il lui était impossible d'amener Zonta à le classer à un niveau plus élevé. Même Tafkar n'y était pas parvenu.

— Justement, dis-je. Pourquoi le feriez-vous ?

Il comprit. Il pinça les lèvres.

Framus Allison se leva et vint vers moi.

— Zonta doit être classé sur une base mécano-positonique comme une unité pensante étrangère. Cette fois encore.

Il s'adressait à moi autant qu'à Takalor, donnant à celui-ci le sentiment qu'il était des nôtres malgré toutes les différences qui existaient entre nous.

— Nos calculs doivent être en conséquence.

Le colonel Steamers se joignit également à nous.

— Les Denébiens doivent être l'argument numéro un, dit-il en entamant la discussion. Ils sont non seulement ennemis du système, au sens où l'entendait la positonique, mais ils doivent être classés comme ennemis des Martiens. Il faut faire comprendre cela à Zonta.

— C'est évident, acquiesçai-je.

J'avais de l'expérience en la matière. Zonta m'avait déjà souvent créé des difficultés — à vrai dire à l'époque qui, du point de vue de cette première rencontre en l'an 1916, était le futur. Tous les efforts que j'avais faits alors n'avaient encore laissé aucune trace sur la positonique.

J'en étais au tout début.

— Les Denébiens n'ont rien à chercher dans la forteresse lunaire, constata Steamers. Ils sont pour ainsi dire l'écharde qu'il faut enlever. Il ne devrait pas être trop difficile de faire comprendre cela à Zonta.

— Certainement pas, concédai-je. Je vais sommer Zonta de lutter avec nous contre les Denébiens.

Je m'adressai à Takalor qui avait écouté en silence :

— Avez-vous des propositions à faire ? Vous vous y connaissez en ce qui concerne Zonta, même si vous n'êtes pas au courant de quelques programmations qui furent effectuées par la suite. Que pouvons-nous encore faire ?

Il haussa les épaules, s'éloigna de quelques pas et s'assit dans le fauteuil de pilote.

— Vous m'en demandez trop, avoua-t-il.

Je remis le codateur de commandement en marche. Dès cet instant, Zonta m'entendit de nouveau. C'était un fait établi. Le cerveau géant pouvait se fermer à mes arguments mais il devait prendre connaissance de mes paroles.

— Zonta, dis-je. Ici le général de brigade HC-9, du C.E.S.S., habilité par quotient. Je constate qu'il y a des éléments ennemis à l'intérieur des installations fortifiées. Il y a des Denébiens. C'est un fait qu'il faut accepter. Je constate en outre que tu as été construit par les Martiens. Ton but principal et unique est d'accroître le potentiel combatif des Martiens contre les Denébiens. Est-ce exact ? Réponds.

Zonta garda le silence.

Le désert de pierre et de sable de la Lune tournait au-dessous de nous comme s'il n'y avait effectivement rien sous la surface couverte de cicatrices, qui n'ait été construit des milliers de siècles plus tôt par une main géniale.

— Les Denébiens présents sont ennemis

du système au sens de tes constructeurs, poursuivis-je imperturbablement.

Je savais que Zonta devait réagir à un moment quelconque. La seule question c'était de savoir comment.

— Les Denébiens menacent ton existence. Je sais qu'à l'intérieur des installations que tu contrôles se trouve le laboratoire d'incubation Okolar. Sur la Terre il m'a fallu constater que quelques Denébiens s'étaient échappés de ce laboratoire. Ils poursuivent le combat contre l'héritage des Martiens. Leurs actions les classent nettement comme ennemis. Ainsi c'est clair : aucun Denébien ne peut séjourner à l'intérieur de la forteresse lunaire. La présence des Denébiens équivaut à une bombe à retardement qui te détruira, Zonta, si tous les Denébiens ne sont pas instantanément anéantis. En tant que détenteur de codateur, habilité par quotient, je t'ordonne donc de tuer tous les Denébiens se trouvant à l'intérieur de la forteresse lunaire ! En outre, tous les bio-dormeurs qui proviennent encore de l'époque de la guerre interrompue 187 000 ans plus tôt, doivent être éliminés.

Je choisis consciemment la formulation *interrompue*. Je voulais que Zonta en arrive à la conclusion que la guerre avait repris depuis peu, par la faute des bio-dormeurs denébiens. La conséquence logique qui en découlait c'était que Zonta aussi réagirait d'une manière belliqueuse à leur présence.

— Réponds, Zonta ! ordonnai-je d'un ton incisif. J'exige l'obéissance.

Quelques secondes passèrent. J'entendis Takalor, derrière moi, toussoter doucement.

Puis Zonta se manifesta enfin :

— Refusé, HC-9, vrombit la voix du cerveau géant.

J'étais à la fois soulagé et déçu. Zonta ne s'était pas renié plus longtemps. Le cerveau avait ouvertement donné à entendre qu'il existait.

C'était un progrès qui, hélas, était trop faible pour nous.

— J'exige une explication de ton insubordination, criai-je tout en sachant instinctivement que je n'aurais pas de succès.

Effectivement, Zonta ne se vit pas obligé de répondre. Le cerveau avait pris une décision et s'y tiendrait ; pour l'instant du moins.

J'éteignis le codateur. Quand je fis pivoter mon fauteuil, je vis que Takalor s'était levé. Maintenant, quelque chose comme du respect se dessinait sur son visage sombre. Il avait manifestement pu suivre ma prise de contact avec Zonta. La réponse négative du cerveau géant ne jouait aucun rôle. J'avais obtenu plus que lui ou Tafkar. Pour lui ce fut décisif. Je savais que j'avais remporté une petite victoire. Soudain je m'étais rapproché de mon objectif qui était de le gagner à notre cause.

— Nous allons nous poser, déclarai-je. Nous nous y risquerons sur la face cachée de la Lune, dans la dépression d'Albara au pied des monts Shonian.

Je regardai mes compagnons les uns après les autres. Chez aucun d'eux je ne vis le refus. Même l'Atlante m'approuva.

La dépression d'Albara était née vers la fin de la guerre, d'une gigantesque explosion nucléaire. Des cuirassés martiens, qui avaient été sous le commandement de l'amiral Saghon, l'avaient déclenchée pour contaminer, par une pluie de radiations, des unités denébiennes qui s'étaient posées. La bombe utilisée avait été inhabituelle seulement par sa radiation gamma. Par contre, son effet explosif avait été faible. L'intention avait été seulement de produire des radiations à longue période qui devaient avoir un effet mortel sur tout ce qui se risquait dans cette région.

Takalor ne pouvait rien savoir de tout cela, comme je le supposais. D'après ce que nous avions découvert sur lui et sur les autres membres de l'expédition temporelle, cette explosion nucléaire se trouvait dans leur *futur*. Elle avait donc eu lieu après leur départ pour le temps.

Je regrettais de ne pouvoir, pour cette

raison, obtenir aucune information d'arrière-plan.

— *La question est donc de savoir si l'explosion atomique a eu lieu avant ou après le retour de Tafkar de son expédition dans notre temps*, se manifesta Annibal.

— *Exact*, confirmai-je. (Nous nous entretenions par télépathie parce que Takalor ne devait pas nous entendre.)

— *Si elle s'est produite avant, Tafkar n'a rien à voir avec elle*, constata le nabot. *Mais si on a fait exploser la bombe après son retour, la raison se trouve dans les informations que Tafkar aura obtenues ici, auprès de nous, sur la Lune.*

— *Petit malin*, me moquai-je. *C'est bien ainsi. Reste donc à savoir si l'horrible effet de contamination n'a été provoqué que parce que Tafkar avait rapporté que l'arme à retardement que Mars avait prévue à l'origine, avait échoué. Dans ce cas, l'explosion est manifestement une conséquence de l'expédition temporelle de Tafkar. Celui-ci devrait donc avoir regagné son époque sain et sauf, et avoir fait son rapport.*

— *Je trouve ceci un peu troublant.*

— *Seulement parce que tu n'as pas suivi mon raisonnement pas à pas.*

— *Comment serait-ce possible avec ton esprit biscornu ?*

Le professeur Goldstein attendait mon ordre. Je regardai les écrans de détection et de surveillance extérieure. Takalor vint vers moi. Il ne tenait plus en place.

— Ne croyez-vous pas que Zonta va ouvrir le feu sur nous ? me demanda-t-il.

— Je n'ai aucun doute.

— Pourquoi pas ?

— Zonta vous a laissé agir sur la Lune, Tafkar et vous, sans vous tirer dessus.

Il inclina la tête.

— Vous avez raison, général.

Pourquoi Zonta serait-il passé à l'attaque ? Jusqu'à présent, le cerveau géant ne pouvait en aucun cas se sentir menacé. Nos moyens étaient trop faibles pour une action vraiment efficace. Par ailleurs, mes arguments pouvaient avoir quand même fait de l'effet, dans un certain sens.

— Posez-vous, professeur.

Goldstein réagit avec calme et pondération. Comme je ne voyais pas de danger pour nous, il n'avait pas de raison d'en voir. Takalor alla s'asseoir près de lui dans un fauteuil.

— Voulez-vous que je vous aide ? demanda-t-il.

— Pour l'instant, il suffit que vous me regardiez faire pour me donner quelques conseils si nécessaire.

Le déformateur temporel quitta l'orbite autour de la Lune. Il descendit lentement. Tendu, j'attendais que Zonta se manifeste de nouveau. J'étais fermement convaincu que le cerveau s'adresserait à moi avant d'entreprendre une action dangereuse contre nous.

Mais Zonta garda le silence.

Quand nous ne fûmes plus qu'à deux cents mètres de la dépression d'Albara, je devins inquiet.

Quelque chose résonnait en moi, que je ne pouvais ni localiser, ni identifier.

Je me retournai et remarquai qu'Annibal aussi était devenu nerveux.

CHAPITRE VI

— Ici HC-9. Réponds, Zonta. J'exige une assistance sans ambiguïté dans notre lutte indispensable contre les Denébiens et les biodormeurs denébiens, criai-je quand le professeur Goldstein posa le déformateur temporel.

Nous nous trouvions en bordure du désert atomique qui de nos jours n'émettait plus que des radiations faibles et inoffensives. J'avais déjà enfilé mon spatiandre de combat. Annibal, Nishimura et Framus Allison s'étaient déjà préparés de la même manière car je ne pouvais m'attendre à ce que le cerveau géant laisse le déformateur temporel pénétrer à l'intérieur de la forteresse lunaire par l'un des sas. Nous serions donc contraints de faire quelques pas sur le sol lunaire dans des conditions cosmiques.

Mais les choses se passèrent autrement que nous ne nous l'étions imaginé.

Zonta nous réservait encore une surprise.

— Je vous entends, HC-9, répondit la positonique.

Je regardai les écrans. A cette seconde, le cube s'enfonçait dans la poussière de la Lune. L'espoir s'alluma en moi mais s'éteignit tout aussi brusquement quand le cerveau-robot poursuivit :

— Conformément à mon ancienne programmation, je suis obligé de placer le déformateur temporel sous un écran protecteur.

Zonta n'avait pas encore terminé sa phrase que j'étais en route pour le sas. Takalor ferma son spatiandre en toute hâte et fonça derrière moi. Ensemble, nous franchîmes le sas. Nous fîmes de grands bonds sur le sol lunaire en ayant quelque difficulté à nous accoutumer à la faible pesanteur.

Derrière moi, le nabot, Nishimura et Allison sortirent du sas. Ils coururent derrière nous. Je vis Allison trébucher et s'étaler de tout son long dans la poussière. Annibal saisit l'Australien par le col et le releva. Puis tous deux se précipitèrent derrière nous.

Je m'arrêtai en haletant.

Le colonel Reg Steamers et Samy Kulot sortirent du sas. Ils voulurent nous suivre mais ils n'allèrent pas loin. Quand ils eurent parcouru quelques mètres, un écran protecteur au scintillement rougeâtre s'abattit soudain sur le transmetteur temporel. Ce fut un rideau infranchissable qui descendit entre nous et les autres.

Samy Kulot tenta de l'enfoncer. Il se pencha, ramassa un peu de poussière et la jeta sur le scintillement rouge. Il y eut un éclair aveuglant et la poussière se dissipa en énergie pure.

— Ne faites pas de sottise, dis-je. Restez en arrière, Samy. Vous n'y parviendrez pas.

Il s'arrêta.

— Je ne veux pas me résigner à rester ici, répondit-il. Professeur Goldstein, m'entendez-vous ?

— Absolument, Samy.

— Ne pouvez-vous pas aspirer l'énergie et alimenter ainsi le cube ?

— Je peux essayer, mais je n'ai pas grand espoir.

Je hochai la tête car je ne croyais pas que les scientifiques réussiraient. Mais je n'élevai pas d'objection. Devant Samy Kulot, l'écran protecteur devint un peu plus clair. Ce fut tout.

— Où est la faille structurelle ? demanda le diagnostiqueur psi.

— Ça ne sert à rien, Samy, répondit Gold stein. Zonta nous a emprisonnés et ne nous laissera plus sortir. Vous devez rester avec nous. Bonne chance, Thor.

— Merci, répondis-je et je me retournai.

J'étais heureux qu'au moins Nishimura,

Allison, Takalor, Annibal et moi ayons réagi assez vite. Nous étions dehors. Mais cela ne signifiait pas encore grand-chose. Nous n'étions pas encore à l'intérieur de la forteresse lunaire.

Ce n'était pas la première fois que je me trouvais dans la dépression d'Albara. Je savais donc de quel côté nous devions nous tourner. Au milieu d'une rangée de montagnes se dressant à la verticale, il y avait un sas par lequel nous pouvions pénétrer à l'intérieur de la forteresse. A condition que Zonta soit d'accord.

Maintenant on allait voir comment le cerveau géant nous classait réellement. Zonta allait-il nous laisser dehors et nous livrer ainsi à une mort certaine ?

Jusqu'alors nous ne pouvions considérer sa réaction ni comme amicale, ni comme hostile. Le qualificatif *attentiste* ne convenait pas non plus. Zonta nous avait surpris avec l'écran protecteur. Pourquoi le cerveau avait-il pris cette mesure ? Pour notre protection ou pour celle des Denébiens et des biodormeurs ? Nous ne pouvions pas encore répondre à cette question.

Je m'arrêtai devant le sas. Il était à moitié couvert de poussière et de pierres, de sorte qu'on le voyait à peine. Je balayai la poussière et poussai les pierres de côté, avec les pieds, pour découvrir la plaque métallique.

Puis je me concentrai et envoyai une série d'impulsions télépathiques.

Je sentis la tension inquiète qui s'était emparée des autres. C'était ici, en ces secondes, qu'allait tomber la décision sur notre sort à tous. Si la technique martienne ne s'inclinait pas maintenant devant nous, il ne nous resterait alors plus qu'à mourir d'asphyxie dans le désert lunaire.

— Ne vous laissez pas distraire par nous, dit Allison d'une voix rauque.

Je levai la main d'un geste de refus. Il se tut.

De nouveau j'envoyai des impulsions qui jusqu'alors avaient toujours été couronnées de succès. Je pris conscience que cette fois-ci c'était la première fois, depuis 187 000 ans, que cette cloison mobile devait bouger. Je fus pris de doutes ; peut-être ne fonctionnait-elle plus parfaitement après si longtemps ?

Mais mes doutes n'étaient pas justifiés.

Dans la merveille de la technologie martienne, il ne semblait pas qu'il existât des pannes que Zonta tolérait sans réagir. Le cerveau géant ne nous avait pas laissés nous échapper du déformateur temporel pour nous laisser étouffer ici.

La cloison s'ouvrit. L'accès du sas fut libre. Il était éclairé par une lumière tamisée. Cela signifiait que Zonta m'obéissait au moins partiellement. En même temps, ceci était la première indication manifeste que le cerveau géant ne nous considérait pas comme des ennemis.

Quand j'entrai dans le sas, j'entendis Takalor dire quelque chose dans une langue qui m'était inconnue. Il passa devant moi quand je me plaçai contre la paroi latérale pour faire de la place aux autres. Dans ce petit sas il ne pouvait entrer plus de deux hommes à la fois. Je regardai la vitre réfléchissante du casque de l'Atlante mais je ne pus apercevoir son visage derrière.

La cloison extérieure se ferma. Nous nous tournâmes vers la cloison intérieure. Takalor dégaina son radiant martien et en ôta la sécurité.

— J'espère que ce n'est pas un piège, dit-il et sa voix retentit dans les haut-parleurs de mon casque. Je ne serais pas précisément enthousiasmé d'être accueilli par des robots, voire des Denébiens.

Moi aussi j'avais l'arme à la main.

— Je puis vous rassurer, Takalor, dis-je. Il n'y a certainement pas de Denébiens devant nous. En tout cas je ne puis rien détecter.

— Des robots en métal M.A. seraient déjà bien suffisants.

Pour le moment nous gardions nos spatiandres de combat fermés et respirions l'oxygène fourni par les systèmes d'alimentation que nous avions emportés.

La cloison interne s'effaça sur le côté.

Elle nous permit de voir dans une salle qui mesurait environ cinquante mètres de long, vingt mètres de large et quatre mètres de haut. Je connaissais cette salle car j'y étais venu assez souvent. Il est vrai que je ne l'avais encore jamais vue dans l'état où elle se trouvait actuellement.

Quelques machines gisaient par terre. C'étaient des appareils qui disposaient normalement de groupes antigravs et étaient donc capables de voler. Or maintenant on voyait nettement qu'ils s'étaient écrasés au sol. Quelques-uns d'entre eux s'étaient télescopés avec d'autres. Un robot de ménage s'était renversé. Il avait recraché une partie de la poussière aspirée et des pièces de rechange cassées contenues dans son réceptacle collecteur.

Un robot de combat martien se tenait au milieu de la pièce. Il était de côté par rapport à nous. Au premier coup d'œil on voyait bien qu'il était désactivé. Pour lui aussi, l'ordre d'immobilisation avait dû arriver au milieu d'un mouvement. Deux de ses quatre bras étaient encore levés. Ils tenaient un objet d'une fonction inconnue, qui avait glissé à moitié.

Nos pas firent tourbillonner la poussière.

J'entendis Allison, Nishimura et Annibal entrer dans le sas derrière nous. Quand la cloison intérieure s'ouvrit, j'entendis la voix aiguë du nabot. Il déversait sa bile car le lourd Australien lui avait marché sur les pieds dans le sas étroit.

— Il fait un peu sombre ici, fit-il ensuite remarquer sans transition en surgissant près de moi.

Il avait raison. La lumière dans le sas avait été plus vive qu'ici. Nos regards atteignaient à peine le bout du hall.

— Attention ! cria Framus Allison, nerveux.

Je fis volte-face et vis que le robot de ménage s'était réactivé. Il aspirait la poussière répandue et ramassait aussi les pièces de rechange brisées pour les stocker dans son réceptacle collecteur.

Aucun danger n'émanait de cet appareil.

— *N'as-tu pas remarqué quelque chose, la Perche ?* me demanda Annibal.

— *Si, bien sûr.*

— *Framus a remarqué avant nous que le robot s'était activé, bien qu'il n'ait aucune faculté de prémonition.*

— *C'est exact.*

— *Cela signifie que nos sens psi n'ont pas réagi parce qu'ils ont identifié l'activité du robot comme inoffensive pour nous.*

— *Il ne faut pas le souligner devant les autres.*

A l'arrière-plan, un autre robot bougea. Il

se dirigea vers une sortie. Une cloison s'effaça devant lui et il la franchit. Une plate-forme de transport effondrée se souleva sans bruit du sol et poursuivit sa route comme si rien ne s'était passé. Elle ne fit pas non plus attention au fait qu'elle avait entre-temps perdu ce qu'elle aurait dû transporter. Un robot de ménage plus grand que le premier arriva par une autre cloison mobile. Il se mit aussitôt au travail.

Je ne tins pas compte de lui.

Toute mon attention était dirigée sur le robot de combat martien. Je visais le point minuscule de sa bande-organe sur sa tête, qui était son seul point vulnérable. Le nabot pointa lui aussi son radiant sur cet endroit. Si la machine de combat se tournait vers nous et attaquait, il ne nous resterait plus que quelques centièmes de seconde pour tenter de briser en cet endroit le métal M.A. presque indestructible. Si nous faisions mouche, nous aurions alors une avance à peine mesurable qui pourrait suffire pour nous permettre de détruire le robot avant que la positonique ne donne l'ordre de tir et que le radiant performant, supérieur à nos armes, ne puisse faire feu.

Jusqu'alors Zonta n'avait pas tenté de nous tuer, bien qu'il en ait eu la possibilité.

Quels ordres le cerveau géant allait-il donner à la machine de combat ?

Le nabot souffla doucement.

— Attention, dit Kenji Nishimura, l'œil devant l'optique de visée de son fulgurant.

Il ne pouvait certes pas réagir aussi vite qu'Annibal ou moi mais par contre c'était un tireur qui n'avait pratiquement pas son pareil sur la Terre. Je l'avais déjà vu accomplir des exploits.

Le robot de combat bougea. Ses bras se levèrent. Ils saisirent plus fermement l'objet qui risquait d'échapper aux mains mécaniques. La tête se tourna vers nous. Je vis l'éclat menaçant sur le bandeau-organe de la machine qui nous dominait de beaucoup. Ce colosse mesurait plus de deux mètres de haut pour une carrure aussi large que la stature du nabot.

Il enregistra notre présence, n'analysa pas seul les données obtenues, mais le fit en étroite collaboration avec Zonta avec lequel il était en liaison permanente. Le robot de combat ne pouvait pas agir d'une manière autonome et nous détruire tant que le Cerveau n'avait pas donné un ordre à ce sujet, à tous les robots de combat concernés.

Les muscles de mes bras se durcirent. J'observais les projecteurs de rayonnement des armes du robot et attendais l'impulsion psi de mon cerveau second. Au cours de l'opération contre le glisseur denébien, je m'étais fié à mon don psi. Maintenant je le faisais également. C'eût été une erreur de tirer simplement sur la machine de combat, en me basant sur de vagues suppositions.

Les projecteurs ne s'allumèrent pas. Rien n'indiquait une attaque imminente.

Je ne poussai toutefois un soupir de soulagement que lorsque le robot se détourna de nous.

— Mes félicitations, dit Takalor soulagé. Vous y êtes parvenu.

— Attendons, répondis-je. Il n'y a encore pratiquement rien de prouvé.

— Ne vous sous-estimez pas, dit-il.

Il y avait un certain sourire dans ses paroles. Je sentis qu'une transformation fondamentale s'opérait chez l'Atlante. Peu à peu je compris quelles difficultés Tafkar et lui avaient eues avec Zonta. Nous ne pouvions que deviner ce qu'avait signifié pour eux le refus de collaboration du cerveau géant.

Nishimura baissa son arme, remit la sécurité et replaça le radiant dans son holster.

Je regardai mes instruments. Les indicateurs d'oxygène étaient au vert. Cela signifiait qu'entre-temps Zonta nous avait procuré une atmosphère respirable. J'ouvris mon casque spatial et respirai l'air prudemment par le nez. Il était sec comme de la poussière et sentait l'huile de résine. J'avais l'impression d'être entré dans un caveau. Mais je savais que cette odeur disparaîtrait bientôt. Zonta était occupé à réparer les dégâts survenus au cours des milliers de siècles écoulés. Bientôt le grand Cerveau nous fournirait l'air le plus pur. Ce n'était qu'une question de temps pour que le degré hygrométrique des salles soit suffisant.

Framus Allison s'essuya le front avec un mouchoir. Il avait les yeux larmoyants.

— Dites-moi, Thor, savez-vous s'il y a un bar dans le secteur ? demanda-t-il en haletant. Je pourrais boire un tonneau entier de bière.

Je souris.

— Je dois, hélas, vous décevoir, Framus. Pour le moment, je ne puis vous offrir que de l'eau. Mais peut-être que Takalor peut nous aider ?

L'Atlante avait lui aussi rabattu son casque en arrière. Le noble visage de cet homme basané brillait. De petites gouttes de sueur couvraient son front mais s'évaporaient rapidement.

— Je ne peux pas non plus vous aider, déclara-t-il. On peut difficilement boire des ghueyths.

— Je surmonterai ma soif si vous nous conduisez à ces quartz, dit l'Australien. L'essentiel c'est que ça ne dure pas trop longtemps.

— Je vous conduirai, annonça Takalor.

Il y a plusieurs dépôts sur la Lune qui devraient disposer de stocks suffisants.

— Devraient ? demandai-je, consterné. Qu'est-ce que ça signifie, Takalor ?

Il eut un sourire rassurant et leva les mains en geste de défense.

— La situation dans laquelle nous nous trouvons est nouvelle pour moi. Ne m'oubliez pas, je vous en prie. Je ne m'attendais pas à ce qu'il nous faille renouveler notre stock de quartz oscillants, voire même le reconstituer complètement. C'est pourquoi je ne sais pas naturellement si les dépôts sur la Lune sont pleins ou non. Ce n'est qu'une fois sur place que nous verrons si les stocks sont suffisants.

— Et si les dépôts sont vides ? s'enquit le nabot, irascible.

— Je ne pense pas que ce sera le cas, répondit l'Atlante.

Annibal gonfla ses joues et laissa l'air s'échapper par une brèche entre ses dents, produisant ainsi un sifflement aigu.

— Une réponse à une question claire, s'il vous plaît ! exigea-t-il.

— Au cas où les dépôts que je connais seraient vides, tout n'est pas perdu, déclara Takalor. Sur Mars il existe, c'est certain, de grands dépôts de quartz oscillants qui pourront couvrir nos besoins.

— Quelle perspective rassurante ! dit Nishimura, sarcastique. Sur Mars ! Et moi qui craignais déjà que nous ayons à chercher un peu plus loin d'ici.

— Je ne vous comprends pas, dit Takalor, visiblement ahuri. Mars est proche.

Annibal éclata d'un rire amer.

— Vous payez-vous notre tête, Takalor ?

— Nullement, major. Pourquoi ne pensez-vous pas aux liaisons par transmetteur ? Si les dépôts ont été vidés, nous ferons un saut jusqu'à Mars avec l'un de ces appareils, pour aller chercher là-bas ce dont nous avons besoin.

Il avait parfaitement raison. Seulement nous n'étions pas encore assez familiarisés avec l'idée d'utiliser un tel appareil. Nous partions toujours de l'hypothèse qu'il nous fallait vaincre des difficultés tant que Zonta ne se serait pas indiscutablement placé de notre côté. Cette attitude était sans doute erronée. Nous pouvions et devions choisir la voie que l'Atlante nous avait proposée.

Je lui fis un signe de tête.

— C'est bon, Takalor, dis-je.

— Il vous faut savoir que j'ai changé d'opinion à votre égard, avoua-t-il. Vous n'avez plus de difficulté à attendre de ma part.

— Vraiment ? demandai-je dubitatif. Comment pouvez-vous déjà dire cela maintenant d'une manière aussi persuasive ?

— Vous voulez dire qu'il y aurait encore quelque chose entre nous ?

— En effet, Takalor. Nous n'avons pas encore discuté ensemble de la bombe martienne à retardement dont il nous faut vérifier le fonctionnement.

Il fut manifestement épouvanté et recula devant moi. Il ne s'était pas attendu à cela. Il évita mes regards.

— *Tu l'as poussé dans ses retranchements,* constata Annibal soucieux.

Je ne répondis pas. J'observais l'Atlante. Il était temps que nous parlions de ce problème. Je ne pouvais pas le laisser plus longtemps entre nous, comme s'il n'existait pas.

— Vous êtes au courant ? demanda Takalor en hésitant. Par qui ?

— Par Tafkar, naturellement.

Il se mordit les lèvres et se dirigea vers un pupitre de commande assez bas pour s'asseoir. Ma révélation lui donnait visiblement du fil à retordre. Quelques minutes passèrent avant qu'il ne lève les yeux. J'avais le sentiment que quelque chose s'était brisé en lui, bien qu'il s'efforçât de donner l'impression que rien ne s'était passé.

— Ce n'était pas particulièrement correct de votre part, de me dissimuler ces choses, déclara-t-il.

Je souris.

— Me faut-il vous rappeler que vous avez également gardé le silence ?

Les muscles de ses joues tressaillirent. Il se leva et respira profondément.

— Racontez-moi, demanda-t-il d'une voix couverte.

Je lui relatai notre rencontre avec Tafkar et comment ce dernier était retourné 187 000 ans en arrière. Je dis à Takalor qu'il n'avait plus besoin de contrôler la bombe temporelle parce que Tafkar s'en était chargé et avait déclenché l'explosion nucléaire dans la dépression d'Albara une fois son voyage dans le temps terminé.

Bouleversé, il se refusait à reconnaître que tous ses efforts avaient été vains et que son intervention avait été négligeable.

— Et vous saviez tout cela, général ! dit-il avec amertume.

— Vous ne pouvez me le reprocher, Takalor. Je devais exploiter mes chances, tout comme vous l'auriez fait. N'abandonnez pas maintenant, restez plutôt chez nous et aidez-nous. Nous avons besoin de vous. Pour nous, vous êtes infiniment plus précieux que vous ne pourrez jamais l'être pour Atlantis. Je n'exige pas de vous, bien sûr, que vous trahissiez votre peuple. Vous avez fait tout ce que vous étiez chargé de faire. Vous ne pouvez en faire davantage. Tafkar réglera tout ce qui est important.

— Donnez-moi un peu de temps, demanda-t-il.

J'inclinai la tête. Je comprenais qu'il ne pouvait donner son accord ici et immédiatement. Il devait d'abord digérer tout cela.

— Nous continuons, décidai-je, et je me dirigeai vers une cloison mobile par laquelle j'étais souvent passé, à vrai dire seulement 88 ans plus tard.

Ce fut un sentiment étrange pour moi quand la cloison s'ouvrit devant moi. Combien de fois pénétrerais-je par là dans les profondeurs de la forteresse lunaire et combien de fois serait-ce la *première fois ?*

Un couloir familier s'ouvrit devant moi. Il s'achevait en une spirale fortement incurvée qui s'élançait vers le sol d'un hall immensément vaste. Nous nous engageâmes sur le ruban d'apparence fragile, qui avait environ huit mètres de large sur seulement quelques centimètres d'épaisseur. Je vis que dans les profondeurs au-dessous de nous, d'innombrables machines se déplaçaient. Robots de ménage, robots-transporteurs, robots-ouvriers et robots de combat étaient sortis de leur longue torpeur. Partout des tourbillons de poussière étaient soulevés, qui étaient instantanément aspirés par des machines spéciales et ne pouvaient donc plus se reposer.

Il n'y avait pas le moindre doute, la forteresse lunaire s'éveillait à la vie. Elle avait été plongée dans un sommeil d'une longueur inimaginable, qui était maintenant terminé.

Les Denébiens n'avaient pu l'en tirer quand ils étaient sortis de leur bio-sommeil et avaient pénétré dans les secteurs extérieurs de la forteresse. Ils n'avaient rien modifié quand ils avaient appareillé avec un astronef volé dans un hangar. Pour eux cela avait dû être un sentiment de triomphe de voir que la gigantesque installation que leurs ennemis mortels avaient érigée contre eux ne s'était pas soulevée contre eux.

La présence des Atlantes sur la Lune n'avait eu, elle non plus, aucune action déterminante sur Zonta. Quoi qu'aient fait ici Takalor et ses huit compagnons, ils n'avaient pu amener Zonta à s'activer.

Ma brève conversation avec le cerveau géant, par contre, avait eu un tout autre effet.

— *Mais ne va pas te faire des idées,* m'exhorta le nabot. *Ou faut-il que je t'appelle désormais le Prince des Robots ?*

Je le regardai en ricanant. Son visage était plissé de mille rides. Il m'observait comme s'il craignait que je ne sois effectivement plus maître de moi.

— *Je n'ai aucune raison de me sentir le maître de toute cette ferblanterie. C'est unique-*

ment le codateur de commandement qui a obtenu cet effet, minus. Personne d'autre.

— *Dieu soit loué!* pensa-t-il en soupirant. *Il m'eût été insupportable de devoir lever les yeux vers toi!*

Et en émettant cette pensée, il vint si près de moi qu'il dut presque renverser la tête en arrière pour pouvoir me regarder dans les yeux.

Notre attention ne se relâchait nullement, même pendant cette brève conversation. Nous observions constamment les alentours tandis que nous descendions le ruban. Pas un mouvement ne m'échappait. J'étais tenté de poser constamment des questions à Takalor sur les installations techniques qui depuis de très nombreuses années nous posaient une énigme. Mais je le laissai tranquille. Il devait venir de lui-même.

Quand nous eûmes parcouru environ sept kilomètres à l'intérieur de la forteresse, nous étions toujours sur le ruban en spirale qui conduisait dans les profondeurs et nous étions encore bien au-dessus du sol du hall. Un objet ressemblant à une tortue, aussi large que la bande sur laquelle nous marchions, sortit avec un cliquetis d'une ouverture qui se trouvait à une cinquantaine de mètres de nous. Il se retourna, occupant toute la passerelle et s'avança lentement vers nous. J'aperçus plusieurs outils de préhension et de découpage sur sa partie frontale. Par-dessus s'incurvait quelque chose qui ressemblait à la carapace d'une tortue.

Nous nous arrêtâmes.

— Qu'est-ce que ça signifie ? demanda le nabot. A ma connaissance, nous n'avons encore jamais rencontré une telle chose.

Takalor tripota nerveusement son arme.

— Qu'est-ce que c'est que cette machine ? demandai-je.

— Elle est utilisée normalement pour dépecer les épaves d'astronefs et récupérer ce qui est récupérable, déclara-t-il. Ne sous-estimez pas les outils. Ils sont parfaitement en mesure de mettre nos spatiandres en lambeaux.

La machine approchait rapidement. Elle n'était plus qu'à dix mètres de nous. Une scie en métal M.A. se mit en route avec un miaulement. J'hésitai.

— Un bonjour amical de Zonta, fit remarquer Nishimura.

— Absolument pas, répliquai-je tandis que nous reculions lentement. Pourquoi Zonta utiliserait-il une telle chose contre nous ? Le Cerveau a d'autres moyens.

Des lumières vertes s'allumèrent sur une tringlerie qui paraissait tordue.

— Attention, général ! cria Takalor. Des chalumeaux se sont allumés. Ils ne sont pas moins dangereux que des radiants.

— Quelles sympathiques perspectives ! dit le nabot, furieux.

Je levai mon arme et fis un signe aux autres. Nos radiants martiens à haute énergie s'allumèrent. Involontairement, je fermai les yeux en fentes minces quand les rayons d'énergie filèrent avec un bramement vers la machine et y pénétrèrent. Je reculai quand un éclair aveuglant jaillit au milieu de la ferraille. Un jet de flamme bleu s'éleva puis la machine entière vola en éclats dans un vacarme assourdissant.

Des débris allèrent tournoyer dans toutes les directions. Nous nous laissâmes tomber. Un éclat incandescent passa en sifflant au-dessus de ma tête. Nishimura roula sur le côté et échappa ainsi à un fragment gros comme la tête qui l'aurait tué, tout simplement, s'il l'avait touché.

Seul Takalor était resté debout. Je le vis quand je me relevai. Son visage était impassible et paraissait sculpté dans la pierre.

La machine de récupération n'était plus qu'un tas de débris qui avait glissé sur le côté et pendait maintenant en bordure de la voie-ruban. Framus Allison se dirigea vivement vers ce tas et lui donna un coup de pied. Cela suffit. L'amas de plastique et de métal brûlant tomba dans les profondeurs. Près de vingt secondes s'écoulèrent avant que la carcasse ne s'écrase sur le sol du hall.

Je m'approchai du bord de la bande et vis des robots spéciaux s'approcher pour déblayer la ferraille. D'un signe de la main, j'informai les autres que nous continuions notre chemin.

— Je ne comprends pas, dit Nishimura. Qu'est-ce que ça signifie ?

— Pour le moment je n'ai qu'un soupçon, répondis-je. Zonta ne peut être responsable de cette action, bien que le Cerveau ait le contrôle de tous les robots. Il ne nous attaquerait jamais avec des moyens aussi primitifs s'il avait l'intention de nous éloigner de la forteresse lunaire. Le Cerveau travaille avec une extrême logique.

— Or cette action ne l'était absolument pas, fit remarquer Allison.

— C'est justement pourquoi je suppose que Zonta n'y était pour rien. Nous avons affaire à un autre adversaire.

— Des Denébiens, dit Nishimura.

— Sans doute. On nous a découverts et on s'est laissé aller à une défense précipitée. Sans doute voulait-on seulement nous retenir afin de gagner du temps pour organiser des actions plus efficaces.

— C'est la seule explication, approuva Takalor.

Il était resté en arrière. Il nous rejoignit alors tandis que nous poursuivions notre chemin à la hâte. Depuis que je lui avais dit la vérité, il avait de nouveau changé mais d'une toute autre manière que je l'avais espéré. Il s'efforçait maintenant de ne pas me laisser voir ce qu'il ressentait. Il me donna des indications sur l'endroit où nous pouvions trouver les quartz oscillants et sur ce qu'il nous fallait faire pour nous en approcher. Ce n'était plus très loin. Nous pouvions enfin voir la cloison mobile marquée en rouge, qu'il s'efforçait d'atteindre quand soudain, juste à côté de nous, deux cloisons s'ouvrirent.

Je ne les avais pas remarquées précédemment. Elles avaient surgi, comme sorties du néant. Aucun joint sur le mur n'avait indiqué au préalable qu'il y avait ici des passages.

Annibal et moi avions nos radiants, prêts à tirer, dans la main quand quatre robots de combat vinrent vers nous. J'actionnai en toute hâte mon codateur.

— Ici HC-9, criai-je. Zonta, qu'est-ce que ça signifie ? Pourquoi nous retient-on ?

Les machines de combat martiennes s'arrêtèrent devant nous. Elles constituaient une force supérieure contre laquelle nous ne pouvions rien faire. La gueule de leurs armes ne scintillait pas encore mais cela pouvait se produire d'une fraction de seconde à l'autre.

Je sentis que cela devenait dangereux.

Zonta était-il arrivé à une décision lourde de conséquences pour nous ?

Zonta se manifesta :

— Je vous entends, HC-9. La mesure de vos fréquences individuelles a montré qu'il se trouvait en votre compagnie un homme qui se différencie fondamentalement de vous, déclara le cerveau positonique d'une voix monotone.

Involontairement, je regardai Takalor. Zonta avait découvert qu'il était différent de nous et avait réagi en conséquence. Que comptait faire le Cerveau ?

— C'est exact, répondis-je. Mais cela ne justifie en aucun cas ce barrage. Je constate que les Denébiens ont pu lancer un robot contre nous. Tu ne les en as pas empêchés, Zonta, bien que ta programmation exige que tu t'opposes à tout ce qui est contre les intérêts de tes constructeurs. Les Denébiens sont manifestement des ennemis du système. Leur attaque prouve qu'ils visent à détruire l'héritage martien.

J'attendis quelques secondes. Voyant que les robots de combat n'avaient pas encore bougé, j'ordonnai :

— En tant que détenteur de codateur, habilité par quotient, je te donne l'ordre de retirer immédiatement les robots et de nous laisser continuer notre route sans encombres.

— Refusé, répondit Zonta. L'Atlante doit se mettre de côté.

Ma gorge se serra.

Quelles étaient les intentions de Zonta ? Le Cerveau voulait-il faire exécuter l'Atlante par les robots de combat ?

Takalor avait le regard fixé devant soi. Il resta impassible. J'avais l'impression qu'il se moquait complètement de ce que Zonta pouvait lui faire. J'en fus effrayé. Peut-être même que Takalor était heureux de mourir de la « main » des instruments du cerveau positonique ?

— *Il s'est lui-même condamné,* constata le nabot, bouleversé. *Il a compris qu'il ne servait plus à rien de mener sa mission à son terme.*

— Takalor ! criai-je.

Il ne réagit pas.

Les robots de combat pointèrent leurs radiants sur lui. Les canons de deux de ces armes destructrices scintillèrent dangereusement. Si les robots tiraient maintenant, l'Atlante n'avait pas une ombre de chance.

— Zonta, appelai-je en me maîtrisant péniblement. Je t'interdis de porter préjudice à l'Atlante.

— L'étranger est mon prisonnier. Il doit être soumis à un interrogatoire spécial.

Tout en moi se crispa car je pouvais à peu près imaginer à quoi ressemblerait cet interrogatoire. Ce serait une procédure humiliante et peut-être aussi douloureuse pour Takalor. Des lésions irréversibles n'étaient pas à exclure.

— Je proteste, Zonta, dis-je violemment. Takalor doit être classé comme un ami des Martiens. Sa santé et sa vie ne doivent en aucun cas être menacées.

Zonta ne répondit pas.

— Laissez donc, Thor, dit Takalor doucement.

J'étais ému. Il m'avait appelé par mon prénom. Pour la première fois je le comprenais réellement. Pourquoi fallait-il que ce soit à l'instant précis où tout semblait être perdu ?

— Je vous sortirai de là, lui promis-je.

Il sourit faiblement.

Consternés, nous vîmes les robots de combat emmener l'Atlante. Ils le conduisirent par l'une des cloisons mobiles, dans une salle fortement éclairée qui était équipée de nombreux instruments. Au milieu se trouvait un fauteuil au-dessus duquel pendaient divers appareils. Je pouvais nettement reconnaître un casque métallique et pouvais imaginer à quoi il servait. Takalor allait devoir le mettre sur sa tête et l'interrogatoire commencerait alors. Il pouvait le démoraliser complètement.

Involontairement, je fis un pas en avant mais le nabot me retint d'une main ferme.

— Nous ne pouvons rien faire, mon grand.

— Nous ne pouvons l'abandonner à son sort ! protesta Nishimura.

— Nous avons une mission à accomplir, déclara Annibal gravement. Quels que soient les regrets que j'en éprouve, elle passe avant tout. Takalor doit se débrouiller tout seul.

— Vous me décevez, dit Allison.

— Je n'y puis rien changer, répliqua le nabot.

Il se mit les deux mains dans les poches et se détourna comme si le sort de Takalor lui était complètement égal. Mais c'était absolument faux.

Un mur d'énergie scintillante se dressa entre Takalor et nous. L'Atlante, debout près du fauteuil, me regarda. Je serrai les lèvres. Ma gorge se noua.

L'Atlante se détourna et s'assit dans le fauteuil. A cet instant, les cloisons se fermèrent. Je tentai de les ouvrir par télépathie mais mes efforts furent vains.

CHAPITRE VII

— *Mon grand, tes pensées ne me plaisent pas,* me signala Annibal par télépathie.

Son visage se plissa et il se passa la main dans ses cheveux roux.

— *Il faudra que tu t'y fasses,* répliquai-je. *Nous devons après tout faire quelque chose.*

— *Peut-être ne veut-il absolument pas que nous l'aidions ?*

— *On verra bien.*

Je fis un signe à Allison et Nishimura. Tous deux comprirent que j'avais un plan pour duper Zonta. Mais je ne devais pas en parler car nous étions sûrs que le cerveau positonique pouvait entendre tout ce que nous disions.

Nous n'étions plus à proximité de la cloison mobile mais avions poursuivi notre chemin sur deux kilomètres environ comme si nous avions compris qu'il était inutile de discuter davantage avec Zonta.

En fait, notre éloignement de la salle

d'interrogatoire ne jouait aucun rôle pour nous.

Je m'arrêtai et allumai le codateur de commandement. Nous avions atteint un palier sur lequel se trouvait une machine de forme bizarre. On ne voyait pas à quoi elle pouvait servir. Dans les profondeurs au-dessous de nous, de grosses machines vrombissaient.

— Zonta, ici HC-9, dis-je. Notre mission est compromise par l'arrestation de l'Atlante. J'exige donc de nouveau sa libération immédiate.

Le Cerveau répondit au bout de quelques secondes seulement :

— Refusé, HC-9. L'Atlante doit être classé comme *suspect*. Il est placé sous vos ordres mais il ne sera pas libéré tant que certaines questions encore en suspens ne seront pas éclaircies.

— Je proteste !

Cette fois-ci, Zonta ne répondit pas.

C'était une situation grotesque.

Takalor était intellectuellement supérieur à nous tous. Il connaissait la technique martienne comme aucun de nous. Avec l'aide d'un codateur, il aurait sans doute été en mesure de commander à toute la forteresse lunaire. Et pourtant Zonta le classait à un niveau plus bas que moi.

Cela était toutefois conforme à la logique

pure d'un robot.

Les Atlantes avaient toujours été de simples auxiliaires des Martiens. Moi je possédais le codateur et par le surstockage de mon intelligence, j'avais été élevé au niveau d'un Martien. J'avais donc tout ce qu'avaient eu les constructeurs de la forteresse lunaire. Par conséquent, l'Atlante m'était forcément inférieur. Zonta n'avait pu en arriver à une autre constatation. Et peu importait si mes facultés acquises par le surstockage d'intelligence ne me permettaient pas d'épuiser, il s'en fallait de beaucoup, toutes les possibilités.

Je respirai profondément.

L'air était nettement moins bon que dans les secteurs supérieurs. Allison ferma même son casque pendant quelques secondes pour puiser plusieurs fois de l'oxygène. Nishimura se mit à gémir. Il porta la main à sa gorge.

Le nabot qui était également habilité par quotient et était donc classé par Zonta au même niveau que moi, fut pris d'une toux sèche. Ses yeux sortirent de ses orbites.

— La Perche, j'étouffe ! dit-il avec un râle.

Tout en me précipitant vers lui, j'ouvris les fermetures magnétiques de mon spatiandre de combat et fouillai dans les minuscules réserves de médicaments qui étaient cachées sur mon côté gauche. Je saisis le nabot par le bras. De la main droite je lui enfonçai l'aiguille de la seringue toute prête dans la poitrine. L'ampoule se vida automatiquement. Un anesthésique très efficace passa dans le sang d'Annibal. Il ne ferait effet que peu de temps mais cela devrait suffire.

Je n'avais pas d'autre solution. Je devais prendre Zonta avec des expédients ayant une logique de robot si je voulais délivrer Takalor de sa situation désagréable. Et je ne pouvais me permettre d'attendre trop longtemps car chaque minute qui passait augmentait les risques pour l'Atlante.

Le major MA-23 se complaisait dans une brillante performance d'acteur avec laquelle il aurait pu triompher sur n'importe quelle scène de boulevard. Il se redressa brusquement. Ses yeux s'écarquillèrent et ses lèvres se retroussèrent. Il râla bruyamment et simula une souffrance extrême. D'une manière à mon avis exagérée, il fit comme s'il voulait encore me dire quelque chose. Avec ce qui semblait lui rester de force, il ferma son casque spatial et ouvrit l'alimentation en oxygène. Il respirait avec difficulté et ensuite il fut pris de convulsions. Au même moment une série d'impulsions télépathiques qui ne pouvaient être qualifiées que de rire, me parvinrent.

— *Je ne m'attends pas à ce que tu m'applaudisses,* me dit-il, couché sur le sol et agitant convulsivement les jambes. *Mais penser à une représentation de quatre sous est un manque de tact et de délicatesse. Je discuterai avec mon secrétaire syndical de la manière dont il faut qualifier ton comportement. Si tu...*

— *Ne t'emmêle pas les circonvolutions cérébrales, dors plutôt !* lui conseillai-je.

Vexé, il se barricada mentalement. Cela faisait mon affaire. Je m'agenouillai à côté de lui et ouvris les fermetures magnétiques de son spatiandre de combat. Puis je vérifiai son pouls. Je remarquai que l'anesthésique faisait effet. Annibal Othello Xerxes Utan tomba dans un profond sommeil sans rêves. Hélas, il se mit à ronfler. Je le tournai sur le côté en espérant qu'il respirerait plus calmement, mais je me trompais. L'air lui passait par la gorge avec un râle sonore.

Je me redressai.

— Augmentez l'alimentation en oxygène, dis-je à Nishimura et Allison. C'est la même réaction que chez les autres.

Ils comprirent et firent ce que je leur avais demandé.

Maintenant nous y étions. Je devais m'adresser à Zonta. J'étais sûr que le cerveau positonique avait suivi tous les événements de près. Quand j'eus allumé le codateur, une cloison mobile s'ouvrit près de nous. Un robot s'approcha et se pencha sur le nabot. Il lui posa un instrument en forme de bâton sur la poitrine. Involontairement, je retins ma respiration.

Etions-nous déjà démasqués ?

— Zonta, appelai-je. Ici HC-9. Le major MA-23 est en danger de mort. Il souffre des mêmes symptômes dont ont déjà été victimes quatre de mes hommes sur la Terre. Il s'agit d'un blocage du système nerveux qui porte atteinte principalement à la région spinale. D'après nos expériences précédentes, MA-23 va mourir si tu n'interviens pas.

Zonta répondit aussitôt.

— Que puis-je faire, HC-9 ?

— As-tu reconnu que mes déclarations sur l'état de MA-23 étaient exactes ?

Le robot se redressa et redisparut par la cloison mobile. Quelques secondes passèrent. Le sort de Takalor dépendait de la réaction de Zonta. S'il obéissait à son ancienne programmation, il devait se décider en notre faveur.

— Elles sont exactes, répondit le Cerveau.

— Il y a un homme qui peut encore sauver MA-23, expliquai-je. Il l'a prouvé sans ambiguïté à deux reprises sur la Terre.

— Qui est cet homme ?

— C'est l'Atlante Takalor que tu interroges. Il ne dispose pas seulement de grandes connaissances médicales mais aussi de facultés psi et para-énergétiques grâce auxquelles il peut enrayer la mort du système nerveux de MA-23 et obtenir une activation générale. Lui seul est en mesure de sauver MA-23 mais seulement s'il est ici dans trois minutes au plus tard.

Pour un homme, le stratagème eût été trop évident. Si l'on nous avait approchés, le nabot ou moi, de la sorte, l'effet eût été nul. Nous n'aurions fait qu'éclater de rire ironiquement. Mais les choses étaient différentes pour le robot. Celui-ci pensait selon des rapports et déroulements clairs et logiques, sans les biais qui nous caractérisaient. Il n'était pas à même de reconnaître le mensonge dans mes paroles. Sur la base des informations que je lui avais fournies et des constatations établies avec l'aide du robot et des détecteurs installés partout, Zonta devait en arriver à la conclusion qu'Annibal se trouvait effectivement en danger de mort.

Le médicament à effet à court terme n'était décelable ni par Zonta, ni par un autre laboratoire d'analyses médicales du système solaire.

Quelques secondes passèrent, pendant lesquelles nous attendîmes la décision du cerveau positonique. Puis une cloison s'ouvrit bien au-dessus de nous. Une longue plate-forme antigrav en sortit, sur laquelle était couché Takalor.

La plate-forme descendit vers nous en planant et se posa à côté de moi.

Je me penchai sur l'Atlante.

Ses joues étaient creusées et ses yeux sombres étaient profondément enfoncés dans les orbites. Je fus épouvanté. Takalor paraissait lessivé. En quelques minutes il avait dû subir des choses monstrueuses. Il était pleinement conscient mais ne semblait pas avoir la force de se redresser sans aide. J'avais l'impression d'avoir un mourant sous les yeux.

— Takalor, dis-je avec insistance. C'est une bonne chose que vous soyez là. MA-23 souffre sans aucun doute du phénomène *Oftroc* dont ont déjà été victimes quatre de mes hommes. Sur la Terre vous avez pu sauver deux malades grâce à vos facultés psi et para-énergétiques. Je l'ai expliqué à Zonta. Je lui ai dit également que vous étiez le seul à pouvoir encore sauver MA-23. Et je vous en supplie, aidez-le en dépit de votre faiblesse.

La flamme revint dans ses yeux mornes. Je répétai mes paroles et remarquai qu'elles l'atteignaient. Il comprit quand je mentionnai le nom *Oftroc* encore deux fois.

Oftroc avait été le compagnon de

l'Atlante sur la Terre. Il avait péri en Europe de l'Est lors de l'explosion de l'astronef martien.

— Vous ne devez pas permettre que MA-23 meure, dit Nishimura.

— Aidez-le, supplia Allison.

Il glissa son bras sous les épaules de l'Atlante et le redressa.

Je constatai avec soulagement, que Takalor semblait déjà un peu mieux. Sans doute que Zonta lui avait administré un puissant reconstituant avant de le relâcher. Il devait en être ainsi car on ne pouvait expliquer autrement ce rapide rétablissement.

Il descendit de la plate-forme. Ses genoux fléchirent mais avec l'aide d'Allison il se redressa. Il se traîna vers le nabot.

Il était grand temps!

Annibal Othello revenait déjà à lui. L'effet du médicament diminuait. Le nabot recommençait déjà à penser. Comme Zonta nous observait certainement constamment, un signe traître du nabot pouvait détruire tout ce que nous avions obtenu.

— J'espère que je n'arrive pas trop tard, dit Takalor, péniblement.

Il s'agenouilla sur le sol, près d'Annibal et lui posa les mains sur le cou quand j'eus ôté le casque du petit. L'Atlante fit semblant de masser le cou et la tête du nabot. Ce faisant il changeait rapidement les mains de place de sorte qu'il saisissait presque tous les muscles de cette région. Il ferma les yeux, faisant ainsi semblant de se concentrer à l'extrême.

Puis il tendit une main impérative vers moi. Je compris qu'il voulait donner un reconstituant quelconque à Annibal pour duper Zonta d'une façon encore plus convaincante. Maintenant, le nabot revenait rapidement à lui. Quand je tendis à l'Atlante ce qu'il souhaitait, Annibal se manifesta pour la première fois.

— *Dis-lui qu'il ne doit pas toujours me toucher à cet endroit, la Perche. Tu sais très bien que je suis chatouilleux derrière les oreilles.*

— *Des oreilles, as-tu dit ? Tu ne vas tout de même pas appeler oreilles ces étranges excroissances que tu as sur le côté de la tête. Ce serait une injure pour n'importe quel esthète.*

Son impulsion suivante ressembla à une exclamation indignée :

— *Ah non ! Pas encore cette nourriture concentrée. Je suis rassasié.*

Takalor lui administra la préparation. Quelques secondes plus tard, l'effet de l'anesthésique faiblit encore. Annibal Othello Xerxès Utan me fit un clin d'œil et essaya de bouger bras et jambes.

— *Si jamais j'ai perdu mon poids idéal, grand chef, je te ferai envoyer toutes les factures de tailleur.*

Takalor se redressa.

— Vous restez à côté de moi, lui dis-je. C'est un ordre. Comment vous sentez-vous ?

— Ça va, répondit-il d'une voix sourde.

Je remarquai les profondes entailles qui s'étaient formées aux coins de ses lèvres. Nous ne pouvions que deviner ce qu'il avait supporté. Zonta lui avait certainement annoncé avec une franchise impitoyable qu'il avait été classé comme *suspect* et considéré comme *inférieur* à moi. Cela avait dû être un coup dur pour lui.

— Je vous remercie, Takalor, dis-je. Nul autre que vous n'aurait pu sauver MA-23.

Annibal me tendit la main. Je la saisis et l'aidai à se lever. Il tituba un peu. Il adressa un signe de tête encourageant à Takalor mais l'Atlante ne réagit pas. Je me faisais des soucis à son sujet d'autant que j'avais l'impression qu'il m'échappait de plus en plus.

— Ne perdons pas de temps, dis-je.

Nous reprîmes notre progression dans la forteresse lunaire. Avec l'aide de Takalor nous pénétrâmes dans des secteurs qui m'étaient totalement inconnus. L'Atlante ouvrit des passages que nous n'avions jamais reconnus comme tels.

J'étais convaincu que Zonta ne nous retiendrait plus. De temps à autre, nous nous arrêtions. Alors le nabot et moi sondions les environs avec nos sens télépathiques. Les Denébiens devaient être quelque part. Nous ne percevions rien. C'était comme si tous les Denébiens avaient quitté la forteresse. Mais c'était exclu. Ils devaient être ici. J'étais persuadé qu'ils nous observaient.

— Ils se protègent à l'aide de champs énergétiques, dit Allison.

J'acquiesçai. Il ne semblait pas y avoir d'autre explication.

— Là-bas! dit Takalor en se hâtant vers une cloison mobile mais il s'arrêta brusquement devant elle. Consterné, il constata qu'elle ne s'ouvrait pas devant lui. Je m'avançai à côté de lui et me concentrai. Puis j'envoyai une série d'impulsions télépathiques. La cloison s'effaça sans bruit.

Takalor serra les lèvres. Sans un mot il passa devant moi et pénétra dans une longue salle. Sur le côté il y avait de nombreuses armoires dont les portes étaient en partie transparentes. A travers elles je pouvais apercevoir divers équipements dont la fonction m'était inconnue dans la plupart des cas. Nous n'avions pas le temps de regarder plus longtemps autour de nous. Je donnai un léger coup dans le dos de Framus Allison quand il s'arrêta devant une armoire et tenta de l'ouvrir.

— Nous ne voulons que les ghuyeths,

Framus, dis-je. Tout le reste doit attendre jusqu'en 2011.

Il soupira avec abnégation et se joignit de nouveau à nous. Takalor se dirigea vers le bout de la salle, passa les doigts sur une moulure dans le mur et ouvrit ainsi l'accès à un puits antigrav qui descendait.

Quelque chose me mit en garde.

J'avais le sentiment d'être devant un piège dont on ne pourrait plus s'échapper une fois dedans.

— Le puits conduit dans une salle où se trouve un dépôt, déclara l'Atlante.

Sans hésiter, il y pénétra. Annibal le suivit. Ensuite je glissai vers le bas moi aussi. Je dus rentrer les épaules parce qu'il n'y avait pas beaucoup de place pour moi. Plus je descendais et plus mon sentiment d'aller à l'encontre d'un danger se renforçait. Je sondai par télépathie le secteur en dessous de moi mais je ne pus rien découvrir. Mais je n'en fus pas plus rassuré pour autant. Je sentais que quelque chose n'allait pas.

— Fais attention, petit, dis-je doucement.

Je vis son écran individuel s'allumer.

Takalor quitta le puits. Le nabot suivit. A cet instant, je crus entendre un cri. Une série d'impulsions d'un genre tout à fait étranger m'atteignit.

— Des Denébiens ! hurlai-je.

Je me posai presque au même instant au sol. Je me laissai aussitôt tomber en avant.

A droite et à gauche devant moi, le nabot et l'Atlante étaient couchés sur le sol. Les radiants des deux hommes scintillèrent. Les traits de feu traversèrent la pièce en feulant. Je tirai entre Takalor et Annibal, sur la créature fantomatique qui, à une trentaine de mètres de nous, tentait de s'échapper par un large passage. Je n'avais aucun scrupule à tirer sur elle.

C'était un Denébien.

Il portait une combinaison de combat d'une qualité supérieure qui, à vrai dire, ne lui servait plus à rien maintenant. Je vis l'écran protecteur qui l'enveloppait briller d'un rouge flamboyant quand les traits énergétiques de nos trois armes le frappèrent. Le Denébien fut projeté en arrière sur un mètre.

L'écran individuel s'effondra. J'entendis alors effectivement un hurlement. Aussitôt après, l'extra-terrestre se transforma en un nuage de gaz ardent. Une masse d'air brûlant vint vers nous.

Le nabot et moi, nous nous levâmes d'un bond. Du coin de l'œil je vis Takalor se lever aussi. A côté de moi, un trou rougeoyait dans le mur. C'était là qu'était tombé le tir du Denébien. Je courus vers le passage. Le nuage de gaz se dissipait rapidement.

— Framus, Kenji ! criai-je dans le micro qui se trouvait sous mon menton, dans la collerette de mon armure de combat. Ne descendez pas ! Surveillez la sortie du puits antigrav et ne vous laissez en aucun cas chasser de là sinon nous serons pris au piège.

J'entendis Allison accuser réception du message ; je savais que je pouvais lui faire confiance ainsi qu'à Nishimura.

Zonta réagit.

Le cerveau positonique fit aspirer la chaleur occasionnée par la mort du Denébien, qui menaçait le matériel. Quand j'atteignis la salle suivante, la température était redevenue presque normale autour de moi. On ne s'apercevait pratiquement plus qu'une créature intelligente était morte ici quelques secondes plus tôt.

Du court instant où j'avais vu le Denébien, il ne m'était resté qu'une impression. Il m'avait paru faible et épuisé. Ses yeux avaient été enfoncés dans les orbites et ses mouvements avaient été pesants.

Pour moi il n'y avait aucun doute : le Denébien avait été à bout de forces. Ce fait me surprit.

— *Ils sont lessivés,* supposa Annibal. *Le bio-sommeil a duré quelques millénaires de trop.*

— *Tu as sans doute raison,* répliquai-je.

Je me souvenais que les Denébiens que

nous avions rencontrés sur la Terre ne m'avaient pas non plus fait grande impression. Seuls quelques-uns d'entre eux avaient utilisé à plein les moyens qu'ils avaient incontestablement eus à leur disposition là-bas, pour se mettre dans une meilleure condition physique.

J'atteignis la cloison mobile le premier.

Avant de voir les Denébiens qui nous attendaient dans la salle suivante, je perçus leur sphère mentale sans pouvoir toutefois capter leurs pensées. J'enregistrai seulement leur présence.

Ils étaient couchés, le radiant en joue, derrière un robot de combat renversé qui leur servait d'abri. Ils avaient entendu mes pas et tous deux firent feu au moment où j'aurais dû surgir normalement devant eux.

Mais je ne me précipitai pas aveuglément sur eux, je m'élançai seulement dans la pièce. L'un des traits énergétiques m'effleura toutefois. Mon écran protecteur flamboya jusque dans la gamme de l'orange. Je fus légèrement projeté sur le côté mais j'atteignis quand même mon objectif : une console de distribution.

Avant de me jeter par terre, derrière elle, je tirai. Des flots d'énergie d'une violence inouïe filèrent vers les deux étrangers. Ils frappèrent le robot de combat en plein tronc. Le métal M.A. rougeoya. La machine glissa en arrière sur quelques dizaines de centimètres. Au même moment je vis les Denébiens, forcés de rentrer la tête.

A cet instant, Annibal et l'Atlante surgirent dans le passage. Le nabot entra en tournoyant à une vitesse irréelle et tira instantanément. Son rayon thermique anéantit l'un des deux Denébiens.

L'autre se leva d'un bond et jeta son arme. Son visage se tordit en une pitoyable grimace de peur. Il voulut se rendre.

Se redressant de toute sa taille, Takalo se dirigea vers lui, le visage impassible. Je vis seulement ses yeux sombres briller d'un feu mystérieux.

Il pointa son arme sur son ennemi mortel. Celui-ci débrancha son écran individuel, faisant ainsi nettement comprendre qu'il n'avait pas l'intention de se battre. Mais l'Atlante ne connaissait pas la pitié. Sa haine était trop forte. Il tira.

Le tir énergétique éblouissant transperça le Denébien, mettant un terme à une vie créée uniquement pour tuer.

Takalor abaissa son arme. Il regarda le sol et secoua la tête dans un accès de désespoir.

— Je ne puis croire que ce soient ces pitoyables créatures qui ont détruit tout ce qui comptait pour nous, dit-il doucement.

— Vous oubliez une chose, Takalo, répondis-je en lui posant la main sur l'épaule.

Ceux-ci ne sont pas les Denébiens que vous connaissez de votre époque et que vous avez combattus jusqu'à présent. Pourtant, ne les sous-estimez pas. Ils ne sont pas tous lâches. La plupart d'entre eux se battent comme des diables. Ils sont perfides et dangereux.

Il se contenta d'incliner la tête. Je sentais qu'il ne me croyait pas. Il se sentait infiniment supérieur aux Denébiens. Cela ne me plaisait pas. C'est toujours lourd de conséquences de sous-estimer un adversaire et cela pouvait être mortel quand cet adversaire était un Denébien.

— Ne commettez pas d'erreur, Takalor, insistai-je. Ne croyez pas que vous pourrez éliminer les Denébiens ainsi, en passant.

— Très bien, dit-il pour en finir. Je ferai attention à moi, général.

Le nabot était allé au fond de la pièce où nous nous trouvions. Il se tenait maintenant devant un puits antigrav qui descendait.

— Il ne fonctionne pas, nous signala-t-il. Les Denébiens n'auraient pu s'enfuir.

Takalor alla vers lui et passa de nouveau la main sur une moulure dissimulée. Puis ahuri, il hocha la tête et répéta sa tentative.

— Effectivement, dit-il. Ici, rien n'y fait.

— Nous faut-il descendre ? demandai-je.

— Non, heureusement.

Il retourna dans la pièce où nous avions rencontré le premier Denébien. Par des gestes rapides, il ouvrit une porte en un endroit du mur où nous n'aurions jamais soupçonné son existence. Elle paraissait sortir, sans aucun joint, de la matière. Derrière elle se trouvait une armoire forte avec de nombreux tiroirs qui tous étaient vides. D'un geste apparemment mécanique, l'Atlante y mit pourtant la main.

— C'est ce que je craignais, dit-il. Il n'y a pas de ghuyeths. En tout cas pas ici.

Il sortit un disque de la paroi latérale de l'armoire. Il portait des chiffres et des inscriptions d'origine martienne. Il lut les indications à voix haute. Elles nous disaient où se trouvaient d'autres dépôts de ghuyeths sur la Lune.

— Venez, Thor, me pria-t-il. Ce n'est pas loin.

Nous retournâmes au puits antigrav et remontâmes. En haut, Nishimura et Allison nous accueillirent avec soulagement. Je les informai de ce qui s'était passé en bas. Tandis que nous parlions, les yeux d'Allison s'écarquillèrent.

— Thor ! cria-t-il en me saisissant par le bras. Filons ! Vite !

Je virevoltai. Du mur coulait une lueur rouge qui venait vers nous. Elle s'approchait à une vitesse inquiétante. Une menace singulière en émanait.

Takalor, Annibal et Nishimura couraient

déjà vers la sortie la plus proche. Allison et moi nous les suivîmes en grande hâte. La lueur rouge, pulsatile, fonçait derrière nous. Ma gorge se serra quand l'Australien trébucha. Au dernier moment je parvins à le relever mais je croyais déjà voir ses pieds disparaître dans la lumière rouge.

Je m'attendais à ce que Takalor regagne le ruban en spirale par l'entrée principale mais je me trompais. De là-bas aussi la lueur rouge venait vers nous.

En toute hâte, l'Atlante ouvrit une porte latérale. Il était métamorphosé. Il se précipita littéralement dans un puits antigrav ascendant, sans nous attendre. Je poussai Nishimura, Allison et Annibal dans le conduit, en regardant par-dessus mon épaule.

Comme une créature vivante, la lueur rouge coulait vers moi et je reculai instinctivement. Le champ antigrav semblait conduire les autres beaucoup trop lentement en haut. J'avais l'impression que le temps s'arrêtait.

A peine les énormes pieds du nabot eurent-ils disparu que je bondis moi aussi dans le puits. Je relevai les jambes pour échapper à la lueur menaçante. Involontairement, je regardai vers le haut. Avec des gestes qui me semblaient être au ralenti, les autres sortirent du puits, tandis que la lueur rouge s'approchait de plus en plus de moi.

Enfin Allison me tendit la main. Je la saisis et l'Australien me hissa.

Nous traversâmes un hall de générateurs en courant. Je me retournais sans cesse, m'attendant à voir la lueur rouge. Mais elle ne nous suivait pas. Seule l'entrée du puits antigrav scintillait sous une lumière inquiétante. C'était un spectacle effrayant. Cela me rappela un indicateur d'alerte dans un astronef martien dont la couleur dominante avait également été le rouge. Au même moment je pris conscience de l'énorme effet psychologique que la lueur rouge devait avoir eu sur les Martiens. Les Denébiens avaient habilement choisi cette couleur.

Takalor s'arrêta près d'un générateur. Il avait la respiration rapide et haletante.

— C'était la lueur rouge, dit-il.

Nous étions vaguement au courant de cette arme denébienne. Mais je voulais en savoir plus et je fis l'ignorant.

— Qu'est-ce que ça signifie ? demandai-je donc.

— La lueur rouge est l'arme la plus effroyable que ces démons aient inventée. Je ne m'attendais pas à ce qu'ils attaquent ici avec ça.

Il se remettait peu à peu de sa frayeur.

— C'est l'arme avec laquelle les Martiens ont été définitivement vaincus, constatai-je.

— A mon époque, la victoire des Denébiens n'était pas vraiment inéluctable. Maintenant je sais que vous avez raison, Thor. La lueur rouge a dû signifier la fin pour mes amis. Il s'agit d'une radiation ondoyante extrêmement courte. Elle désagrège le système nerveux central de toute créature qui entre en contact avec elle. Elle lèse les cellules du cortex cérébral à tel point qu'il n'y a plus de secours possible. (Il parlait maintenant calmement et sans passion, comme s'il n'était pas directement concerné par la lueur rouge.) Il se produit d'abord un égarement mental puis un état de sommeil profond, sans réveil possible. Le plus effroyable c'est que la nature de la lésion organique ne peut être déterminée qu'environ 36 jours après la mort. Un traitement médical semble être impossible. Rien, absolument rien, ne peut empêcher l'effet démoniaque de la lueur rouge. Pas un spatiandre, pas une armure de combat, pas un casque protecteur, pas un écran individuel, absolument rien n'est efficace contre cette arme.

Il se passa la main sur les yeux qui s'étaient brusquement embués.

— Je sais maintenant que tous mes amis ont été assassinés avec cette arme. Les Martiens n'ont aucun moyen de rétablir l'équilibre. Ils sont livrés sans défense à la lueur rouge.

Il me regarda, désespéré. Ses lèvres s'entrouvrirent mais il les referma, sans dire un mot. Je savais pourquoi. La demande instinctive d'assistance lui était venue sur les lèvres mais je n'aurais pu la satisfaire. Si les Martiens n'avaient pas trouvé de remède contre la lueur rouge, comment aurions-nous pu en mettre un au point ?

— *Pas de ménagements,* ordonnai-je au nabot par télépathie. *Les Denébiens doivent être anéantis, où que nous les rencontrions. Nous ne pouvons pas risquer qu'ils tournent la lueur rouge, à un moment quelconque, contre l'humanité.*

Nous étions le dos au mur.

Laisser la moindre chance aux Denébiens pouvait amener la fin de toute l'humanité. Les bio-dormeurs attendaient de pouvoir s'emparer d'une planète dépeuplée par leurs congénères.

Peu après nous atteignîmes une salle contenant plusieurs pupitres de commande à dispositifs positoniques. Takalor ouvrit de nouveau une armoire.

— Rien, dit-il, déçu.

Il attendit que je sois près de lui.

— Je crois qu'il ne nous reste plus qu'une solution, Thor. Nous devons nous rendre sur Mars par transmetteur. Là-bas nous trouverons des quartz oscillants, c'est certain. Je propose que nous allions d'abord les chercher et qu'ensuite nous nous concentrions sur la lutte contre les Denébiens. (Il sourit d'un air lugubre.) Ce serait grave pour vous si nous procédions à l'inverse. Je pourrais être abattu. Il serait alors deux fois plus difficile pour vous de vous procurer les quartz et de regagner le déformateur temporel.

Avant que je n'aie pu répondre, il passa vivement devant moi. Nous le suivîmes à travers plusieurs couloirs et salles jusque dans un hall où se dressait un transmetteur martien. Quelques robots d'entretien et de ménage étaient occupés à réparer les dégâts intervenus au cours des millénaires écoulés. Takalor vérifia le transmetteur et prépara le saut pour Mars.

J'hésitai.

— *Il a raison,* me dit le nabot. *Il serait effectivement trop risqué de commencer la lutte contre les Denébiens avant d'avoir les quartz.*

Quand Takalor, sans un mot, entra dans le champ de dématérialisation, je le suivis. Je ne sentis aucune transition quand nous fûmes dématérialisés et envoyés sur Mars sous forme d'une spirale oscillante énergétique à cinq dimensions. Seul un léger frisson me parcourut le dos quand je sortis du transmetteur sur la quatrième planète.

C'était aussi la première fois que je me trouvais ici.

Je devais cependant supposer que Zonta avait pris contact avec Newton. Mais j'ignorais jusqu'où allait la communication entre ces deux grands cerveaux. Je ne m'attendais toutefois pas à de réelles difficultés.

Nous ne restâmes pas longtemps. L'Atlante s'y connaissait ici aussi. Il se rendit résolument dans une salle où se trouvait une armoire-dépôt. Soulagé, il sourit en y trouvant suffisamment de ghuyeths.

— Nous emportons tout ce que nous pouvons porter, décidai-je.

Nous remplîmes nos armures de combat de quartz, jusqu'à ce que nous ayons presque vidé l'armoire.

CHAPITRE VIII

— Nous sommes cernés, dit Annibal.

— Nous devons tirer. Sans pitié, ajouta Framus Allison. Nous aurons peut-être encore une chance alors.

La sueur coulait sur son visage parsemé de taches de rousseur. Il était livide et loin d'avoir son optimisme habituel.

Quelques secondes plus tôt, Takalor et moi étions revenus de Mars. Nous avions distribué des ghuyeths aux autres, de sorte que tous nous disposions maintenant de la même quantité de quartz. Mais dans les circonstances présentes, cela ne semblait pas être une mesure de protection suffisante. Nous étions tous les cinq en danger de mort.

Je sentais nettement les Denébiens. Nombre d'entre eux renonçaient à brancher leur écran protecteur. Je pouvais donc les repérer par la voie psi. Ils ne pouvaient se douter qu'ainsi ils se trahissaient.

— Nous nous trouvons juste devant la

station d'incubation Okolar, dit Kenji Nishimura aussi calmement que si notre situation était tout à fait normale. J'ai pu jeter un coup d'œil à l'intérieur. Selon mes estimation, environ deux cents bio-dormeurs réveillés s'occupent des couveuses. Nous devons les éliminer.

— C'est une situation grotesque, constata Allison. Je viens de prendre conscience qu'il nous faut à tout prix tuer ces bios.

— Cela va de soi, fit remarquer Takalor.

L'Australien fronça les sourcils et le regarda d'un air réprobateur.

— Vraiment ? demanda-t-il. Mais vous ignorez pourquoi. Je vais vous le dire, Takalor.

Il me désigna de la main.

— En 2004, Thor Konnat détruira les incubateurs quand la Terre se verra menacée d'un danger mortel de la part des Denébiens réveillés. Comprenez-vous ? Le général ne pourra jamais venir à bout du danger denébien s'il n'élimine pas maintenant les gardiens. Mais il ne doit pas toucher aux couveuses parce qu'il déclencherait par là un paradoxe temporel. Car alors les Denébiens ne pourraient jamais menacer la Terre en 2004. Cela signifierait que les nations de la Terre ne se verraient pas contraintes de s'unir parce qu'il n'y aurait pas de danger commun. Cela signifierait d'autre part que l'expédition temporelle lancée par le C.E.S.S. ne pourrait avoir lieu parce que le Contre-Espionnage Scientifique Secret en serait empêché pour des raisons politiques. Cela aurait pour conséquence que nous ne pourrions nous trouver ici. Et vous pouvez certainement imaginer la suite.

— Il m'est difficile de saisir les corrélations, répliqua l'Atlante. Mais je comprends bien pourquoi il ne faut pas permettre la création d'un paradoxe temporel.

Il sourit. La dernière remarque d'Allison ne le vexa pas comme c'eût été le cas quelques heures plus tôt. Elle l'amusa.

Nishimura, qui s'était rendu près d'une porte coulissante, revint.

— Attention, chuchota-t-il. Ils arrivent.

Je le sentais déjà. Les Denébiens approchaient. Je repérais les sphères mentales de sept Denébiens. Annibal, les yeux vitreux, se tenait à côté de moi. Il s'était coupé de nous et se concentrait entièrement sur nos adversaires.

— Je n'ai pu capter que des fragments de leurs pensées, expliqua-t-il quelques secondes plus tard. Ils savaient que nous sommes ici quelque part dans la zone hermétique mais ils ignorent où.

Il vérifia son radiant.

— Ils ne peuvent s'expliquer d'où nous venons. Pour eux une seule chose est claire :

nous ne pouvons venir de la Terre de l'an 1916. Ils hésitent entre des temponautes ou des astronautes venus d'autres systèmes solaires.

Je me contentai d'incliner la tête.

Nous nous dispersâmes et allâmes nous mettre à couvert derrière les blocs générateurs de la station du transmetteur. En toute hâte j'indiquai aux autres qu'ils devaient laisser les Denébiens s'avancer le plus loin possible dans le hall. Nous devions les éliminer tous, si possible.

La cloison coulissante s'effaça sur le côté. Nous étions en face de nos ennemis mortels. Sept Denébiens entrèrent dans le hall. Cinq autres les suivirent à courte distance.

Ils firent exactement douze pas, puis Takalor craqua. La vue des Denébiens lui fit perdre la tête.

Il poussa un cri de haine, bondit de sa cachette et déclencha son radiant prématurément. Comme un fou, il courut vers les Denébiens en tirant au milieu du groupe.

Il transforma le passage par lequel les meurtriers des Martiens étaient entrés, en un enfer de flammes et de chaleur ardente dans lequel périrent les retardataires. Ensuite seulement, il tira sur les autres.

Aussitôt nous nous mêlâmes au combat. Nous bondîmes également de nos cachettes et tirâmes. Les Denébiens furent pris au dépourvu. Quelques-uns d'entre eux parvinrent à brancher leurs écrans protecteurs mais cela non plus ne leur servit plus à rien. Les faisceaux d'énergie jaillis de nos armes avec des feulements et des bramements les frappèrent et libérèrent des énergies fantastiques auxquelles rien ne pouvait résister.

Takalor, haletant, abaissa son arme quand ce fut fini. Il se tourna vers moi.

— Je n'ai pu m'en empêcher, Thor, dit-il.

— C'est bon, répliquai-je.

Il remarqua que son comportement me déplaisait.

— La prochaine fois je me maîtriserai mieux, promit-il.

Je m'approchai du passage qui n'était plus qu'un trou rougeoyant. Des murs coulait un matériau liquide, incandescent. Je jetai un coup d'œil dans le couloir, derrière, qui conduisait à un laboratoire d'incubation. Il avait environ soixante-dix mètres de long et s'achevait par une large cloison étanche. A cet instant, celle-ci s'ouvrit. Une machine sortit du laboratoire, poussant la lueur rouge devant elle.

— Filons ! ordonnai-je.

Takalor, Nishimura, Allison et le gnome couraient déjà. Je levai mon radiant et tirai. Mais le trait d'énergie n'atteignit pas la machine. Il se heurta à un écran protecteur invisible qu'elle poussait devant elle.

Je pris la fuite également.

Nous devions tenter de prendre les Denébiens à revers. Mais pour cela nous n'avions pas une grande liberté d'action car ils étaient partout autour de nous.

Mes amis m'attendaient dans un sas conduisant à un laboratoire. Ils regardaient en direction d'une porte par laquelle la lueur rouge s'avançait vers nous.

Serais-je venu sur la Lune rien que pour succomber à cette arme sournoise des Denébiens ?

Je réfléchis rapidement.

— Tirez sur le plafond ! ordonnai-je ensuite. Nous allons couper le chemin à cette chose.

Nishimura réagit le premier. D'un tir de maître il fit tomber du plafond une plaque d'une tonne, en tirant sur ses supports cachés. La plaque tomba avec fracas sur le sol, constituant un obstacle infranchissable pour le projecteur. Des Denébiens fortement armés suivaient. Le dos courbé, je courus vers eux.

— Thor, revenez ! cria Takalor pris d'une peur panique.

Je savais ce que je faisais. Je voyais bien la lueur rouge venir vers moi mais je continuai ma course jusqu'au moment où j'atteignis la position que je m'étais fixée pour objectif. Puis je tirai sur le plafond, à l'oblique. Mon tir ne fut pas aussi précis que celui de Nishimura mais il eut le même effet. Une autre plaque s'effondra, ensevelissant la machine.

Mais au même moment je me trouvai au centre des tirs denébiens. Je fus projeté en arrière. La violence de l'impact fut si forte que je ne pus tenir debout.

Takalor poussa un cri.

Et il commit une erreur lourde de conséquences. Il analysa mal la situation. Il s'imagina que j'étais en danger de mort. Il ne réalisa pas que j'étais suffisamment protégé par mon écran individuel.

Tandis que je me relevais déjà d'un bond et ripostais au tir des Denébiens, il se tenait à côté de moi, complètement à découvert. Il tirait sur ses ennemis mortels, ne pensant manifestement pas à sa sécurité mais seulement à moi. Il restait sur place, comme pétrifié, et offrait ainsi aux Denébiens une excellente cible.

Sept Denébiens tirèrent sur lui en même temps.

Je vis son écran individuel rougeoyer. Avant que je n'aie pu dire quelque chose, l'Atlante tenta de quitter la ligne de tir. Mais il était trop tard.

Le projecteur d'écran protecteur, à sa ceinture, explosa.

Takalor poussa un cri. A la seconde de sa

mort, il me regarda, les yeux grands ouverts. Il s'y reflétait toute la souffrance d'un homme obligé de reconnaître son échec.

Mais à la dernière seconde de sa vie il ouvrit son barrage mental de sorte que je pus saisir ses pensées. Elles me submergèrent littéralement.

Il était impossible de décrire tout ce à quoi pensa et ressentit Takalor en cet instant d'une brièveté effroyable. Pour moi c'était beaucoup trop. Je compris seulement qu'il était devenu un véritable ami qui aurait donné cher pour pouvoir rester avec nous.

Il ne pensait plus à sa mission d'origine qui était de vérifier la bombe de Mars mais seulement au fait qu'il avait gaspillé toutes ses chances de vivre chez nous parce que sa haine lui avait fait commettre une erreur.

Puis tout fut fini.

Takalor se transforma sous mes yeux en un nuage de gaz incandescent. Je n'eus pas le temps de pleurer sa perte. Je devais changer tout de suite de position si je voulais m'en tirer vivant.

En tirant, je me précipitai derrière une armoire blindée. Je liquidai trois Denébiens avant que les derniers ne me prennent sous leur feu. Un rayon énergétique s'abattit sur mon écran protecteur et me jeta par terre. Je me vis enveloppé d'une incandescence rouge.

Mais alors, le nabot, Nishimura et Allison

attaquèrent avec détermination. Ils me dégagèrent par un véritable déluge de feu qu'ils déversèrent sur les Denébiens. Ils tuèrent tous les Denébiens encore vivants dans notre entourage immédiat.

Ils se montrèrent vraiment sans pitié. Et ils n'avaient pas à craindre la lueur rouge. Elle s'était éteinte après que la plaque ait enseveli la machine.

Nishimura voulut se retirer.

— Par ici, décidai-je, en montrant l'endroit où les Denébiens s'étaient encore trouvés l'instant d'avant.

Le logicien en programmation chancela et ses yeux devinrent fixes. Il gémit et Allison aussi montra les effets d'une emprise mentale bien qu'ils fussent protégés par leurs écrans individuels. Les deux hommes luttaient contre le rayonnement psi des Denébiens. Je saisis la main d'Allison et l'aidai à se défendre contre cette attaque. Un flot d'énergie psi s'écoula en lui. Ses yeux s'éclaircirent. Il respira avec soulagement.

— Nom d'un chien ! dit-il. Ça a bien failli m'avoir !

Nishimura repoussa la main d'Annibal. Il sourit.

— Ça va bien, déclara-t-il.

Nous traversâmes les flammes en courant. Elles ne pouvaient rien contre nous. La matière en fusion s'écoulait sur nos écrans protecteurs quand elle jaillissait sous nos pieds et atteignait nos jambes.

Sans cesse, de nouvelles vagues de rayonnement hypnotique nous parvenaient, mais elles furent sans grand effet maintenant que Nishimura et Allison avaient surmonté le premier choc.

Nous nous arrêtâmes dans une salle circulaire. Je m'adressai de nouveau à Zonta et exigeai encore une fois un soutien total dans notre lutte contre les Denébiens. Le cerveau positonique renonça à répondre. Même quand, par des paroles cinglantes, je le rendis responsable de la mort de l'Atlante, il resta muet.

Je croyais savoir pourquoi : Zonta ne faisait pas grand cas de la perte d'un homme qui avait été classé comme inférieur.

— Nous avons rompu le cercle, constata le nabot. Ils ne peuvent plus nous avoir, de tous les côtés à la fois, avec la lueur rouge.

Nous progressâmes par un couloir jusqu'au moment où nous atteignîmes une cloison mobile. Elle était marquée d'inscriptions étrangères.

— Revoici le laboratoire Okolar, dit Allison surpris. Nous avons tourné en rond.

J'ouvris la cloison et pénétrai dans un vaste hall. Ici les conteneurs métalliques avec les embryons denébiens étaient alignés les uns à côté des autres. Il y avait au moins mille de ces longues couveuses. Elles étaient gardées par une quarantaine de Denébiens. Les étrangers battirent en retraite, en toute hâte, devant nous.

C'étaient des scientifiques qui étaient restés plongés dans un sommeil artificiel pendant 187 000 ans, attendant que les radiations nucléaires mortelles dans la dépression d'Albara diminuent.

Maintenant c'était fait. Ces hommes qui étaient absolument indispensables pour les embryons pouvaient se mettre au travail. Ils pouvaient entamer la phase finale du développement des embryons. Si ces scientifiques mouraient, il se produirait alors nécessairement des dégâts infinis pour le couvain.

J'avais l'intention de provoquer ces dégâts.

Quand je levai mon radiant énergétique, les Denébiens interrompirent leur retraite.

— C'est un piège ! rugit le nabot au même instant.

A peu près au centre de la salle, un énorme appareil, posé sur une plate-forme, descendit. Sur celle-ci s'entassaient une centaine de Denébiens. Une lueur rouge, agitée de pulsations, émanait de la machine.

Nous avons tournoyé sur nous-mêmes et nous nous sommes enfuis du laboratoire d'incubation. Contre toute attente, personne ne s'opposa à nous. Mais quand nous eûmes parcouru environ deux cents mètres, la lueur rouge jaillit d'un mur devant nous.

— C'est la fin, dit Allison en haletant. Nous sommes coincés.

Avec une hâte fébrile, nous avons tenté de trouver une issue latérale. Mais sans résultat. Ni à gauche, ni à droite, il n'y avait moyen de s'échapper de cette impasse.

Nous nous sommes arrêtés et nous nous sommes regardés d'un air consterné.

— Nous pourrions, tous ensemble, prendre le projecteur sous notre tir, proposa Nishimura.

Le nabot hocha la tête.

— Cela ne nous servira pas à grand-chose. La portée de nos radiants est trop faible.

Allison passait déjà à l'action. Il fit quelques pas de plus en courant et pointa son arme sur le sol. Il voulait découper une plaque et nous ouvrir ainsi une issue par le bas. Effectivement, cela paraissait présenter encore quelques chances. Nishimura se joignit à lui. Ensemble, ils firent feu. Au même moment, les yeux du nabot redevinrent vitreux. Il se lançait à la recherche télépathique des Denébiens. Au bout d'une minute à peine, il souffla bruyamment et se tourna vers moi. A cet instant, la plaque découpée par Allison et Nishimura alla s'écraser dans les profondeurs. Je regardai les deux hommes et les vis reculer, effrayés.

L'Australien, livide, courut vers moi.

— Là, en bas, tout est rouge ! cria-t-il.

Je compris ce qu'il voulait dire. La lueur rouge formait un barrage dans toutes les directions autour de nous. Je ne croyais plus qu'il en fût autrement au-dessus de nos têtes.

— Les Denébiens ont à moitié perdu la tête, annonça vivement le nabot, ils sont comme devenus fous. Ils savent qu'ils ont supporté, sains et saufs, une période de près de deux cent mille ans et que pour eux il ne s'agit plus que d'un délai ridiculement court de quelques années, pour qu'ils redeviennent pleinement actifs. Le fait que leur plan à long terme puisse échouer littéralement à la dernière minute les rend presque fous. Ils se sont tous rassemblés dans le laboratoire central Okolar. Là-bas, des dégâts importants se sont produits. La plupart des embryons sont tombés en poussière. C'est la raison pour laquelle les Denébiens n'ont pas hésité à employer la lueur rouge.

Il avala péniblement sa salive.

— Et maintenant ils savent qu'ils nous ont pris au piège. Ils triomphent. (Il se passa le dos de la main sur la bouche.) Il ne nous reste plus que deux ou trois minutes, la Perche, et la lueur rouge nous aura atteints.

Mes pensées se bousculaient littéralement. Je vis, à une vingtaine de mètres de nous, le rayonnement rouge, agité de pulsations, monter du sol. Il parut d'abord couler sur le sol comme du brouillard mais ensuite il se leva et atteignit le plafond. Ainsi fut dressé un mur infranchissable et absolument mortel.

Il ne nous restait qu'une issue. Nous devions pénétrer dans le laboratoire d'incubation. C'était précisément ce que voulaient les Denébiens. Ils voulaient que nous nous jetions sur leur projecteur pour pouvoir nous tuer avec leur lueur rouge.

Il ne nous restait pas d'autre solution. Nous devions reculer devant le rayonnement rouge, nous rapprochant ainsi de plus en plus du laboratoire.

Dans cette situation, je saisis le codateur.

— Il faut que vous réussissiez, dit Framus Allison avec insistance.

Je ne l'avais encore jamais vu aussi désespéré. C'était un homme qui savait défendre sa peau mais dans le cas présent, l'adversaire était pratiquement inaccessible de sorte que nos armes ne nous servaient absolument à rien.

— Zonta ! appelai-je d'une voix incisive. Ici HC-9, du C.E.S.S. Je t'ordonne de nous secourir. A cause de ta passivité, nous sommes en danger de mort. Conformément à ta programmation, tu te dois de protéger la vie supérieure, comme celle qui est représentée, par exemple, par un quotient d'intelligence de plus de 50 N.O. Réponds, Zonta !

Quelques secondes d'angoisse passèrent pendant lesquelles le piège rouge continuait à se refermer. Puis la voix du cerveau positonique retentit enfin. Je fus soulagé d'un grand poids. Zonta était notre dernière chance.

— Je vous écoute, HC-9.

— Je réclame une aide indirecte, Zonta, déclarai-je rapidement. Je respecte ton refus de nous aider activement dans notre lutte contre les bio-dormeurs bien qu'il s'agisse ici d'une vie ennemie du système. Mais je t'ordonne de mettre à notre disposition un radiant à haute énergie d'une portée de plus de 300 mètres.

— Je ne connais pas l'unité de mesure indiquée, répondit le cerveau positonique.

Tout d'abord je fus stupéfait mais ensuite je me remémorai que ceci était effectivement le premier contact entre Zonta et moi. Le cerveau positonique ne pouvait connaître que jusqu'à un certain point les unités de mesure ayant cours sur la Terre. Je pouvais partir de l'idée que les communications radio, encore bien limitées sur la Terre, étaient écoutées et aussi en partie analysées par Zonta. Mais cela ne signifiait pas que Zonta devait connaître toutes les notions en vigueur sur notre planète.

La lueur rouge s'approchait. Nous n'étions plus qu'à quarante mètres de la cloison mobile conduisant au laboratoire d'incubation. Si Zonta devait nous apporter son aide, elle devait venir immédiatement. Toute seconde perdue pouvait être décisive. Elle pouvait signifier la mort.

— Je te donne un moyen d'information, dis-je. Je mesure 1,96 mètre.

— J'ai compris, HC-9, répondit Zonta. La demande se trouve ainsi complétée. La définition suffit.

Ensuite le Cerveau se tut.

Allison toussota et ferma son casque spatial. Il respira profondément.

— Et maintenant ? demanda Nishimura nerveusement. Zonta va-t-il nous donner ce genre de chose ou non ?

Je ne pouvais lui répondre.

Nous reculions pas à pas. La lueur rouge nous suivait. Elle s'avançait de plus en plus en direction de l'entrée principale du laboratoire d'incubation.

— Il doit bien y avoir un autre moyen, dit Allison en haletant.

Il rabattit de nouveau son casque en arrière. Je vis que son visage était couvert de sueur.

Le nabot jurait sans interruption.

— Secoue encore une fois Zonta, exigea-t-il d'une voix rauque. Le cerveau n'obéit pas.

Tout près de nous, une porte s'ouvrit dans le mur. Ahuri, je la regardai. Précédemment on ne voyait rien à cet endroit. J'en étais absolument certain parce que nous avions désespérément cherché une issue. Nous n'avions découvert aucune porte coulissante et pourtant il y en avait une là.

Nous reculâmes jusqu'au mur opposé. Nous tenions nos armes au creux du bras, prêts à tirer si un Denébien surgissait devant nous.

Mais aucune créature vivante ne vint vers nous.

Un robot de combat parfaitement activé sortit à pas lourds dans le couloir. C'était un colosse de plus de trois mètres de haut. Je levai mon radiant tout en sachant parfaitement qu'il ne me servirait à rien si la machine de combat m'attaquait. J'en eus chaud et froid dans le dos en même temps.

Zonta avait-il effectivement réagi à mon ordre de la manière souhaitée ?

Le robot de combat s'arrêta devant moi. La cloison se referma derrière lui.

— L'unité de combat est à votre disposition, HC-9, me communiqua Zonta de sa voix monotone. Elle ne tirera toutefois pas sur des créatures vivantes, mais exclusivement sur des matériaux inertes pour autant que les dégâts ainsi créés ne dépassent pas les bornes.

Annibal éclata sèchement de rire. Il hocha la tête, désespéré.

— Que pouvons-nous donc faire avec cette marionnette ? demanda-t-il. Elle ne peut pas faire ceci, elle ne peut pas faire cela. Une telle chose ne nous sert absolument à rien.

Le cerveau positonique avait donc légèrement assoupli son attitude. Je devais m'accommoder de cette décision. Les restrictions ne me gênaient pas particulièrement.

— Pas d'objection, Zonta, dis-je.

— Tu es fou, commenta le nabot. Pourquoi ne passes-tu pas enfin un savon à Zonta ? Nous n'avons pas besoin d'un robot aux capacités restreintes mais d'une armée !

— Silence ! demandai-je alors que nous reculions lentement devant la lueur rouge.

Le robot marchait à côté de nous.

Je me concentrai totalement sur les Denébiens.

Ils s'étaient calmés. Leur peur avait fait place à une paisible assurance. Ils étaient persuadés d'avoir déjà gagné. Ils ne nous accordaient plus aucune chance. Ils se sentaient si sûrs de leur affaire que la plupart d'entre eux avaient renoncé à brancher leur écran individuel. Ainsi je pouvais au moins sonder leurs pensées. A l'aide des données ainsi obtenues, je pouvais en outre déterminer leur position exacte.

Nous n'étions plus qu'à vingt mètres de

l'entrée principale du laboratoire.

Je donnai un ordre au robot de combat. Il s'arrêta. Je l'alignai avec précision en lui ordonnant de se tourner de quelques centimètres sur le côté. Puis je courus derrière lui. Annibal, Allison et Nishimura m'observaient comme si j'avais perdu la raison. Mais je n'avais plus le temps de leur expliquer mon plan. La lueur rouge approchait trop vite.

Ce n'était plus qu'une question de secondes.

— Pointe tes radiants sur la quatrième lettre à gauche sur la ligne d'inscriptions supérieure de la porte, ordonnai-je au robot de combat.

Il obéit.

Je dus encore une fois le corriger. Les radiants énergétiques pivotèrent de quelques millimètres sur le côté.

— Attention ! criai-je aux autres. Feu ! ordonnai-je ensuite.

Le robot réagit environ deux secondes plus tard. Ce bref laps de temps me parut le plus long de mon existence.

Quand les deux puissants radiants énergétiques rugirent enfin, Annibal, Allison, Nishimura et moi nous nous jetâmes par terre. Les faisceaux d'énergie gros comme le bras filèrent vers la porte coulissante et la transpercèrent sans peine. Tandis que nous fermions nos spatiandres, les traits énergétiques traversèrent le laboratoire d'incubation, droit sur le projecteur de la lueur rouge. Ils triomphèrent de l'écran énergétique dressé devant l'appareil et détruisirent ensuite l'arme la plus importante des Denébiens.

Je m'étais attendu à ce que le projecteur de la lueur rouge fonde tout simplement.

Mais je m'étais trompé.

La machine explosa sous l'effet d'un dégagement de chaleur inimaginable. Soudain, nous fûmes baignés d'une clarté d'un blanc aveuglant. Des traits de lumière me transpercèrent les yeux bien que je les eusse déjà fermés. Le dispositif automatique de filtrage de mon casque ne me fut guère d'une grande utilité. Je criai de douleur. Au même moment une onde de choc me saisit et me projeta au loin.

Je tentai vainement de m'accrocher. Je crus que j'étais projeté au milieu du champ énergétique pulsatile rouge que les Denébiens avaient dressé derière nous. Mais ce n'était pas le cas. Il n'existait plus.

Quand je retombai par terre, loin du robot de combat, j'eus peur que toute la forteresse lunaire n'ait explosé. Quelqu'un rampa sur moi, me marchant sur la nuque. Je me redressai. Le nabot jura.

— Ne peux-tu pas faire un peu plus attention, la Perche ? demanda-t-il.

Allison et Nishimura se relevèrent près de nous. Je jetai un coup d'œil en arrière. Le robot de combat disparaissait déjà par la porte coulissante latérale. Là où s'était trouvé le laboratoire d'incubation, une mer de feu se déchaînait. Sans nous en soucier, nous nous sauvâmes à travers la forteresse lunaire jusqu'au moment où nous atteignîmes le ruban en spirale.

Ici le calme régnait. Les machines-robots fonctionnaient tout au fond, sous nos pieds, comme si rien d'extraordinaire ne s'était produit. Je savais que Zonta éteindrait l'incendie et procéderait à des réparations. En 2004, je ne pourrais trouver aucune trace du combat que nous avions mené.

Je branchai le codateur.

— Merci, Zonta, dis-je.

Nous montâmes le ruban en courant. Le Cerveau ne répondit pas. Je me demandai ce qu'il pensait des dégâts occasionnés. Sans doute étaient-ils négligeables de son point de vue. Qu'est-ce qui avait été détruit d'ailleurs ? Rien qu'une salle au milieu d'une lune presque entièrement évidée.

Zonta ne nous importuna pas. Nous pûmes quitter la forteresse sans encombre.

Quand nous sortîmes dans la dépression d'Albara par le sas, je vis que l'écran énergétique dont Zonta avait couvert le déformateur temporel avait disparu. C'était une preuve manifeste. Le Cerveau nous autorisait à poursuivre notre voyage.

Ce que nous fîmes, quatre heures plus tard.

Notre voyage s'acheva le 17 février 2011, comme prévu.

Et nous nous retrouvâmes au milieu d'une concentration de troupes dans la dépression d'Albara.

FIN

DÉJA PARUS DANS LA MÊME COLLECTION

1463. *Fou dans la tête de Nazi Jones...* — Pierre Pelot
1464. *La colère des ténèbres* — S. Brussolo
1465. *Khéoba-la-maudite* — Maurice Limat
1466. *Les Vautours* — Joël Houssin
1467. *Citéléem (Les Temps Binaires-1)* — M.-A. Rayjean
1468. *Les androïdes du désert (P.L.U.M. 66-50-Deuxième épisode)* — Hugues Douriaux
1469. *Les Conquérants Immobiles (Chromagnon « Z »-4)* — Pierre Pelot
1470. *Opération Bacchus (Service de Surveillance des Planètes Primitives-5)* — J.-P. Garen
1471. *Les Combattants des abysses (Le volcan des sirènes-2)* — Gilbert Picard
1472. *Eridan VII* — Frank Dartal
1473. *Le miroir de molkex* — K.-H. Scheer et Clark Darlton
1474. *Le sphinx des nuages* — Maurice Limat
1475. *Danger, parking miné !* — Serge Brussolo
1476. *De purs esprits...* — Christopher Stork
1477. *Les wagons-mémoires (La Compagnie des Glaces-28)* — G.-J. Arnaud
1478. *Objectif : surhomme* — G. Morris
1479. *Tragédie musicale* — Hugues Douriaux
1480. *« Reich »* — Alain Paris
1481. *En direct d'ailleurs* — G. Morris
1482. *Mémoires d'un épouvantail blessé au combat* — Pierre Pelot
1483. *La croisade des assassins (Cycle Setni-Enquêteur Temporel-7)* — Pierre Barbet
1484. *Les hommes-lézards (Les Ravisseurs d'Eternité-3)* — A. Paris & J.-P. Fontana
1485. *Don Quichotte II* — C. Stork
1486. *Le rêve et l'assassin (Le jeu de la trame-1)* — Sylviane Corgiat & Bruno Lecigne
1487. *Rébellion sur Euhja* — K.-H. Scheer & C. Darlton
1488. *La piste des écorchés* — G. Morris
1489. *Le choix des Destins (Pour nourrir le Soleil-2)* — Pierre Bameul
1490. *Mausolée pour une locomotive (La Compagnie des Glaces-29)* — G.-J. Arnaud
1491. *Catacombes* — Serge Brussolo

1492.	*Le gladiateur de Venusia (Service de Surveillance des Planètes Primitives-6)*	Jean-Pierre Garen
1493.	*Le Fou (Les flammes de la nuit-2)*	Michel Pagel
1494.	*Cacophonie du Nouveau Monde*	Gabriel Jan
1495.	*Observation du virus en temps de paix*	Pierre Pelot
1496.	*Le Rêve du Vorkul*	Michel Honaker
1497.	*Et la pluie tomba sur Mars*	Maurice Limat
1498.	*L'agonie des hommes*	G. Morris
1499.	*Le raid infernal*	P.-J. Hérault
1500.	*L'endroit bleu*	Th. Cryde
1501.	*Contretemps*	Christopher Stork
1502.	*L'ombre des Antarcidès (Chroniques d'Antarcie-2)*	Alain Paris
1503.	*Dans le ventre d'une légende (La Compagnie des Glaces-30)*	G.-J. Arnaud
1504.	*La métamorphose du molkex*	K.-H. Scheer et Clark Darlton
1505.	*Temps changeants (Cycle Alex Courville-7)*	Pierre Barbet
1506.	*Le programme Troisième Guerre mondiale*	S. Corgiat et B. Lecigne
1507.	*Le viol du dieu Ptah (Les Akantor-1)*	Phil Laramie
1508.	*Ultime solution...*	Piet Legay
1509.	*Accident temporel*	Louis Thirion
1510.	*Un homme est venu... (Le monde d'après-1)*	Hugues Douriaux
1511.	*Le dragon de Wilk (Service de Surveillance des Planètes Primitives-7)*	J.-P. Garen
1512.	*Par le sabre des Zinjas*	Roger Facon
1513.	*Les Cavaliers Dorés (Les Flammes de la nuit-3)*	Michel Pagel
1514.	*U.S. go home... go, go!*	Philippe Randa
1515.	*La cité des Hommes-de-Fer* (Chroniques de la Lune Rouge-4)	A. Paris & J.-P. Fontana
1516.	*Les échafaudages d'épouvante (La Compagnie des Glaces-31)*	G.-J. Arnaud

1517.	*Docteur Squelette*	Serge Brussolo
1518.	*Défense spatiale*	Pierre Barbet
1519.	*Les naufragés du 14-18*	K.-H. Scheer
1520.	*Mortel contact (Les dossiers maudits-1)*	Piet Legay
1521.	*L'univers en pièce (Chroniques télématiques-1)*	Claude Ecken
1522.	*Le lit à baldaquin*	Christopher Stork
1523.	*Building*	Michel Honaker
1524.	*Cocons*	Philippe Guy
1525.	*La folle ruée des Akantor (Les Akantor-2)*	Phil Laramie
1526.	*Le serpent de rubis*	Maurice Limat
1527.	*L'Araignée (Le Jeu de la Trame-3)*	Corgiat & B. Lecigne
1528.	*Appelez-moi Einstein !*	G. Morris
1529.	*Les idées solubles (Les goulags mous-3)*	J. Mondolini
1530.	*Les êtres vagues*	G. Morris
1531.	*Un homme est venu... ** Les errants*	Hugues Douriaux
1532.	*Les guerrières de Lesbau (Service de Surveillance des Planètes Primitives-8)*	J.-P. Garen
1533.	*Baroud pour le genre humain*	Philippe Randa
1534.	*EMO*	Bruno Lecigne

VIENT DE PARAÎTRE :

Richard Canal — *Les ambulances du rêve (Animaméa-1)*

A PARAÎTRE :

Alain Billy — *Le rideau de glace*

Achevé d'imprimer en février 1987
sur les presses de l'Imprimerie Bussière
à Saint-Amand (Cher)

— N° d'impression : 3581. —
Dépôt légal : mars 1987.

Imprimé en France

PUBLICATION MENSUELLE